Né en 1926 au Maroc, Driss Chraïbi est l'un des premiers grands écrivains maghrébins de langue française. Il est l'auteur de *L'Âne*, *Le Passé simple* et des *Boucs*. Il a reçu de nombreux prix littéraires dont celui de l'Afrique méditerranéenne pour l'ensemble de son œuvre en 1973, le prix de l'Amitié franco-arabe en 1981. Driss Chraïbi s'est éteint en avril 2007 dans la Drôme, où il résidait.

Driss Chraïbi

UNE ENQUÊTE AU PAYS

ROMAN

Éditions du Seuil

TEXTE INTÉGRAL

ISBN 978-2-02-037433-0
(ISBN 2-02-005890-1, 1re publication
ISBN 2-02-006240-2, 1re publication poche)

© Éditions du Seuil, 1981

A MICHEL CHODKIEWICZ
ET A JEAN-MARIE BORZEIX

بسم الله الرحمن الرحيم

Il suffit qu'un être humain soit là,
sur notre route, au moment voulu,
pour que tout notre destin change.

D. C.

1

Le chef de police arriva au village par un midi de juillet.
Entre les hauts plateaux et les contreforts de l'Atlas, le ciel
était blanc, flambant de milliards de soleils. Le chef était dans
une petite voiture ordinaire, sans signe distinctif, sirène ou
lumière à éclipses sur le toit par exemple. Il était en mission
secrète et il tenait à l'anonymat. Au-dessus de lui, il y avait
une pyramide de chefs, qui lui étaient inconnus pour la plupart, même de nom. Mais les ordres étaient les ordres. Du
haut en bas de l'échelle hiérarchique, ils descendaient jusqu'à
lui, sous forme de notes impersonnelles griffonnées au crayon
rouge et suivies d'une signature illisible. N'importe qui pouvait, bien sûr, entrer en son absence et laisser un petit bout
de papier sur son bureau. Mais le chef n'obéissait qu'à ceux
qui étaient revêtus du cachet officiel, avec l'aigle impériale. Il
était loin d'être un irresponsable ou un idiot.

Il arrêta sa voiture sur la place caillouteuse du village,
coupa le contact, poussa un soupir, écarta du doigt son col
humide et donna un vigoureux coup de coude à son compagnon de voyage, l'inspecteur Ali, dont la tête reposait tranquillement sur le tableau de bord.

— Réveille-toi, rugit-il.

L'inspecteur se redressa, bâilla, puis tourna vers le chef
deux yeux qui semblaient pleins de sable.

— Je ne dormais pas, chef, dit-il d'une voix empâtée. Par
Allah et le Prophète! Je réfléchissais.

9

— Ça me fait mal, dit le chef. Tu as des cachets d'aspirine sur toi?

— Non, chef.

— Alors, cesse de penser. Sinon, tu vas avoir mal au crâne dans un petit moment, la migraine, la méningite. Tu sais ce que c'est, la méningite?

L'inspecteur le regarda d'un air ahuri.

— La quoi? Non, chef. Explique-moi.

— Volontiers, dit le chef d'un ton paternel. Écoute bien : ça te prend comme ça, sans crier gare, au milieu du crâne, ici. (Pour illustrer son propos, il posa l'index sur la tête de l'inspecteur, appuya fortement.) Et puis, ça se met à rayonner d'ici à là, vers les tempes... et puis là, vers le front... et puis là, vers la nuque... ça chauffe, ça chauffe, pffff-pffff! ça n'arrête pas de chauffer. (Sans raison apparente, sa voix se transforma soudain en tonnerre.) Et tout à coup, la tête explose, comme une de ces grenades qu'on lance sur les manifestants.

L'inspecteur s'essuya la figure avec la paume de sa main. Et il dit :

— Chef, tu n'aurais pas de l'aspirine, par hasard?

— Je n'en ai pas, répondit le chef d'un ton catégorique. Tu n'avais qu'à prendre tes précautions avant de te mettre à réfléchir. Je ne réfléchis pas, moi. J'exécute les ordres.

L'inspecteur ne dit rien. Sa pomme d'Adam montait et descendait, et ses yeux étaient vides.

— Suis mes conseils, fidèlement. Ne pense pas, *exécute*, poursuivit le chef. C'est comme ça — et pas autrement — que tu pourras trouver un jour ta place au soleil, à force d'exécuter. Je te veux du bien, crois-moi. Sans ça, je ne serais pas ton chef. C'est évident.

L'inspecteur hochait la tête, bouche ouverte, à chacune des phrases sensées que lui assenait le chef.

— Et dis-moi : à quoi réfléchissais-tu tout à l'heure? On peut le savoir?

L'inspecteur avala sa salive et eut un large sourire, qui allait d'une oreille à l'autre. On voyait plutôt ses gencives que ses dents.

— On peut, chef. C'est très simple, ça ne demande aucun effort d'imagination. Voilà : j'étais en train de me dire que, si j'étais le gouvernement... façon de parler, bien entendu...

— Bien entendu, approuva le chef.

— ...si j'étais ministre par exemple, ou caïd, ou même une de ces grosses huiles de la capitale, eh bien je changerais tout ça. En vitesse.

— Tu changerais quoi? demanda le chef en inclinant la tête de côté, l'oreille tendue. Tout ça, quoi?

— La piste, tiens!

— Ah oui? dit le chef.

— Oui, chef. Je.. je... voulais dire...

— Oui? dit le chef.

Il avait tiré de sa poche un crayon et un vieux calepin à couverture brune, épais, qu'entourait un gros élastique. Il n'ouvrait pas le calepin — pas encore. Du pouce et de l'index, distraitement, il tirait sur l'élastique, le faisait claquer sur le carnet, sans regarder l'inspecteur, même du coin de l'œil.

— Oui? répéta-t-il. Qu'est-ce que tu voulais dire? Quelle piste?

— Ce n'est rien, chef. Rien du tout. La vérité, c'est que je me suis endormi en cours de route. Et j'ai fait un mauvais rêve, un de ces cauchemars, tu sais. C'est la faute à la soupe, naturellement.

— Quelle soupe? dit le chef, soupçonneux.

— Je vais t'expliquer, chef. Ne t'énerve pas. Ce matin, ma femme a refusé de se lever pour me préparer le petit déjeuner... des beignets au miel, du thé à la menthe, les bonnes choses de la vie. Il faisait à peine jour, elle était crevée. Alors j'ai dû réchauffer la soupe aux pois chiches d'hier soir, tu comprends?

— Non, dit le chef.

11

— Elle m'est restée sur l'estomac. Le voyage a été pénible, ça secouait tout le temps. Et puis, il fait diablement chaud.

Deux ou trois minutes plus tard, l'inspecteur dit timidement :

— N'est-ce pas qu'il fait chaud, hein?

— Hmmm! fit le chef. Hmmm!

Il avait empoché le crayon et s'était mis à s'éventer à l'aide du calepin, négligemment, comme pensif. Son visage devenait de plus en plus rouge.

— J'en ai marre de cette bonne femme, éclata-t-il à la fin. Et toi?

— Je...

— Divorce, conclut le chef. Répudie-la, fous-la dehors, bon Dieu! Une fainéante comme ça, qui se prélasse au lit, ne vaut rien pour un fonctionnaire du gouvernement comme toi.

— Et nos gosses? demanda l'inspecteur dont le cerveau travaillait ferme.

— Tu les gardes avec toi, évidemment. Elle n'a aucun droit sur eux. Tu es leur père. Tu as la loi pour toi, je te soutiendrai, je suis ton chef.

— Ah bon? Tu es marié, toi, chef?

— J'en ai répudié deux, ça n'a pas traîné. Et j'en ai enterré une troisième au bout de deux ans de mariage. Ce qui prouve que les femmes d'aujourd'hui ne sont plus ce qu'elles étaient, obéissantes et travailleuses et tout ça. Elles ne sont qu'une source d'empoisonnements. Tu veux que je te dise? la civilisation ne leur vaut rien. Il leur faut à présent une machine à laver, tu te rends compte?

Longtemps il soliloqua de la sorte, s'appesantissant sur le relâchement des mœurs qui marchaient à reculons comme un âne marocain, vilipendant le cinéma, la pilule, la politique, invectivant les rois du pétrole et les Russes, exposant la situation mondiale en données simples et d'autant plus lapidaires. Quand il eut exhalé une partie de la vapeur qui menaçait de le faire éclater, il s'arrêta, reprit son souffle et dit :

— Tu n'arrêtes pas de discuter! Il faut travailler, voyons! Bon. Je vais ranger ce carnet, je ne ferai pas de rapport sur toi à mes chefs. A un moment donné, j'ai bien cru que tu étais un de ces *insectuels*. Mais je comprends tout maintenant — oh! comme je te comprends! Tu es une victime du matriarcat.

— Oui, chef.

L'inspecteur avait écouté son supérieur hiérarchique comme dans une mosquée, mot pour mot, n'avait pas perdu un seul de ses gestes. Quand il vit le calepin disparaître dans la poche du chef, il dit :

— Je te remercie beaucoup, chef. Par Allah et le Prophète, et le Prince des croyants qui nous gouverne, saint Hassan Tantani! Que les âmes de tes ancêtres reposent en paix là où elles sont!

— N'en parlons plus, dit le chef devenu soudain tout jovial.

Dans ses grosses joues rubicondes apparurent deux fossettes d'enfant.

— Ce que je te disais tout à l'heure est la logique même, poursuivit l'inspecteur, ma femme qui dormait encore à six heures du matin, cette vieille soupe qui me pèse sur l'estomac, la piste pleine de trous et de caillasses. Tout s'enchaîne, comme des figues sèches sur une ficelle et comme deux et trois font cinq.

— Ah oui?

— Oui, chef, naturellement. Si j'ai bien calculé, nous avons quitté la ville sur une belle autoroute. Celle-ci est devenue en très peu de temps une route ordinaire à deux voies, puis à une seule voie, va donc savoir pourquoi. Et à mesure qu'on laissait derrière nous le gouvernement et qu'on grimpait vers la montagne, il n'y a plus eu que la piste, un sentier de mulets avec des bosses, des trous, des nids de poule, plein de cailloux et d'arbustes avec des piquants gros comme ça. (Il montra le pouce, puis toute la longueur de sa main, pour faire bonne

13

mesure.) On n'est pas des mulets, nous autres! surtout toi, chef. Tu me suis?

— Je te suis, répondit le chef.

— Range ce vieux carnet, dit l'inspecteur précipitamment, laisse-le où il est.

— Continue.

— Ça me semble évident, ce que je dis là. Je ne sais pas à quoi c'est dû, les pois chiches, ma femme qui avait la grippe, le cauchemar ou quoi, mais je me suis dit que, si j'étais le gouvernement, je mettrais bon ordre à tout ça sans plus tarder. Je ramasserais tous ces chômeurs, tous ces jeunes qui traînent avec leurs disques et leurs guitares, tous ces *zin...* *zin...*

— *Insectuels!* ça veut dire ceux qui travaillent de la tête!

— C'est ça, chef! tous ces mabouls de la tête pour leur faire ramasser les pierres et les chardons de cette piste et la transformer en une belle route goudronnée pour le bien de la nation et pour t'amener jusqu'ici, dans ce village de montagne, sans secousses et en douceur, aussi sûrement que deux et quatre font six. Sans compter la résorption du chômage. Ce n'est pas une idée géniale, chef?

Et puis il se tut. Le chef garda longtemps le silence, considérant attentivement le visage sans expression de son subordonné, pesant le pour et le contre, faisant le tri dans ce qu'il venait d'entendre. Il y avait là, ma foi, des idées qu'il pouvait non seulement comprendre, mais admettre : elles s'adressaient personnellement à lui et à son monde d'ordre. Il y en avait d'autres qui n'entraient pas tout à fait dans la ligne de ses références, des lambeaux d'idées, somme toute, sans forme ni consistance, comme le communisme en terre arabe. Longuement il se massa la nuque, tournant la tête à droite et à gauche, essayant de faire craquer une vertèbre cervicale. Puis il dit :

— Mais tu n'es pas le gouvernement, hein?

— Non, chef. Hélas!

— Retire-moi tout de suite ce mot, cria le chef.

— Lequel, chef?

— Le dernier que tu viens de prononcer.

— Je le retire, dit l'inspecteur.

Il déplia un grand mouchoir à carreaux, y cracha. Sans doute le mot litigieux.

— C'est bien, dit le chef. Ne recommence pas.

Il pencha la tête en avant, allongea le cou, un os craqua.

— Je l'ai eue, la vache. Cette vertèbre est enfin décoincée.

Il se mit en devoir de faire craquer ses doigts, lentement, posément, comme s'il comptait à mesure. Phalange après phalange. A chaque craquement, l'inspecteur sursautait sur son siège. Les doigts étaient boudinés, poilus, les mains courtes et épaisses.

— Tu ne connais personne au gouvernement, continuait le chef, pour lui faire part de ton idée géniale, dis-moi?

— Non, chef. Personne. Aussi sûrement que deux et cinq... ça fait combien?

— Sept. Tu ne connais aucun des grands chefs de la police qui pourrait en toucher deux mots au gouvernement?

— Aucun, chef. Excepté toi.

— Alors écoute ton chef direct, c'est-à-dire moi qui te parle à cette heure, en chair et en os. Arrête de bavarder et écoute-moi bien : tu as des diplômes, si j'ai bien lu ton dossier?

— Oui, chef. Le certificat d'études. Je l'ai eu à treize ans, sans aucune difficulté.

— C'est un bon diplôme! Moi, j'ai le brevet, évidemment. Tu n'as rien d'autre?

— Oh si! s'écria l'inspecteur avec un grand sourire. J'ai été ailier droit dans l'équipe de foot de Settat. Quatorze buts que j'ai marqués à moi tout seul, en une saison. Si je n'étais pas entré dans la police, j'aurais disputé le match Maroc-Yougoslavie qui se joue dimanche prochain. Je ne suis pas d'accord avec les sélectionneurs. Pourquoi ont-ils écarté

Maati? C'est un buteur du tonnerre! Peut-être qu'il fait de la politique?

— Prends ce pouce, dit le chef.

— Lequel?

— Celui-ci que je tends, imbécile! Je n'en ai pas trente-six.

L'inspecteur saisit le pouce d'une main ferme et attendit les ordres.

— Je vais compter. A trois, tu tires d'un coup sec et tu le fais craquer.

— Compris, chef.

— Attention. Un... deux... trois... Eh bien, qu'est-ce que tu attends?

— Je n'ose pas, chef.

— Tire! mais TIRE!

L'inspecteur tira de toutes ses forces et le chef se mit à hurler en dansant sur son siège.

— Maudite soit la religion de ta mère! Tête d'oignon! Cul de Moïse! Roue de secours! Je t'ai dit de tirer, je ne t'ai jamais dit de me casser le doigt!

— Par Allah et le Prophète, je te l'ai cassé?

— Non, mais c'est tout comme.

Le chef agita son pouce, tira la langue, le saliva, le mit au chaud sous sa fesse droite. L'inspecteur était très inquiet. Il dit :

— C'est ce truc qui m'a permis d'entrer dans la police. Je peux cravater n'importe qui, rien qu'en lui donnant la main pour lui dire bonjour. Ça, le foot et mon diplôme d'instruction, ça m'a permis en un rien de temps de grimper les échelons quatre à quatre. Quand je pense qu'il y en a parmi les collègues qui sont plus vieux que moi et qui font encore le trottoir, bottés et casqués par tous les temps, rien que pour donner des coups de pied dans les éventaires des marchands ambulants qui ne vont pas au marché et donc ne paient pas leur patente. Ah! par Allah et le Prophète, j'en ai de la chance! Je suis un pri-

16

vilégié, aussi sûrement que deux et six font... font huit, c'est ça!

— Alors fais un double nœud à ta langue maudite et garde ta place de privilégié, tête de crocodile! Ne t'occupe pas des routes ou des pistes. Laisse ça aux ingénieurs des Ponts et Chaussées, aux coopérants et aux condamnés aux travaux forcés. Ne te mêle pas de ça, ne fais pas de politique, continue tranquillement à faire de la police.

— Tu as raison, chef. C'est un plaisir du paradis de travailler avec toi.

— Tu sais que tu peux être viré du jour au lendemain pour un oui ou pour un non?

— Ah? dit l'inspecteur.

— Oui, ah! Vidé comme un malpropre, mis à pied, sans solde! Sans solde! Toi qui passes ton temps à coffrer les *insectuels* dangereux, tu sais que tu peux te retrouver derrière les barreaux, du jour au lendemain?

— Ah! par exemple!

— Oui, par exemple! Tu me fais perdre mon temps à jacasser de la sorte. Il y a longtemps qu'on est arrivé et te voilà à bavarder et à dire des inepties depuis tantôt une heure. On n'est même pas sorti de cette bagnole. Quelle heure est-il?

L'inspecteur consulta sa montre à quartz, pressa sur deux boutons, celui de *Select/Month Date* et celui qui correspondait à l'heure. Il dit :

— Nous sommes le vendredi 11 juillet 1980 et il est très exactement midi, 13 minutes et 26 secondes.

— J'ai la même, dit le chef en tendant son poignet. Mais la mienne est plus perfectionnée, elle sonne. Bon, ne perdons pas de temps. Dis donc, toi : c'est un prévenu qui t'a fait ce cadeau somptueux?

— Non, se récria l'inspecteur, pas le moins du monde. Je l'ai achetée de mes propres deniers. Je sais bien que l'inflation galope plus vite qu'un cheval sauvage et que le dirham ne cesse de descendre en chute libre. Mais c'est à la sueur de mon front que j'ai pu m'acheter cette montre qu'on ne remonte jamais.

Le chef agita les mains, l'une après l'autre, comme pour lui imposer silence. Au niveau des poignets, ses articulations craquèrent avec un bruit sec.

— Ça commence à se dérouiller, fit-il remarquer avec un petit rire satisfait. Quand tu auras cessé de faire marcher ta langue et que je pourrai descendre de cette sacrée voiture, je verrai à assouplir mes bras et ma colonne vertébrale. Il faut me maintenir en bonne forme physique pour mener à bien cette mission officielle qu'on a bien voulu me confier en haut lieu. Parce que je n'arrête pas depuis trois quarts d'heure de te montrer la voie du salut. Mais tu n'écoutes pas.

— Mais j'écoute, chef!

— Non, tu n'écoutes pas! Tu ne fais que « charabier » à propos de routes et de pistes et malmener le pouce d'un gradé. Alors ouvre les oreilles pour une fois et entre dans le marché de ta tête. Il y a assez de bruits et de soucis là-dedans, ne serait-ce que les misères que te fait ta bonne femme. Pourquoi, en plus, faire entrer dans le souk de ton crâne la politique et les bulldozers? Tu as pu te payer cette montre à quartz que tu as au poignet? Mais c'est bien, inspecteur Ali! C'est même très, très bien. Demain, dans un an, dans deux ans, tu pourras acheter une belle villa comme les chefs, avec domestiques et tout ça.

L'inspecteur leva le doigt pour poser une question, ou dire que c'était son souhait le plus cher, mais le chef le fit taire aussitôt.

— Clos ton bec! Écoute cette histoire et qu'elle te serve de leçon! Je vais te parler de mon père. Il était flic, comme moi. Il gardait la loi des Français, le commissariat du commissaire et, parfois même, son domicile privé, sans doute pour empêcher les moustiques d'y entrer. Il n'avait même pas de pétard, rien qu'une toute petite matraque. En un mot, il servait l'ordre des Français.

— Tandis que, toi, chef, tu as un pétard et tu sers l'ordre de chez nous.

— C'est bien ça, s'exclama le chef. Tu as enfin compris!

Emporté par son patriotisme ardent, il avait une belle figure humaine, bien lisse et bien ronde; ses yeux étaient d'une belle couleur noire, brillants comme la joie.

— L'indépendance nationale est venue et la génération nouvelle dont je fais partie a conquis sa dignité. Mon père n'était qu'un gardien, un simple flic sans pouvoir de décision, sans aucune responsabilité. Tandis que moi, son fils, j'ai l'autorité!... Enfin, une petite parcelle d'autorité, mais ça me suffit. L'autorité, n'oublie jamais ça.

— Non, chef. Jamais. Pas *ça*.

— C'est une énorme différence entre les anciens colonisés et les êtres libres que nous sommes. *L'autorité*. Il y en a une autre : mon père était resté tout en bas de l'échelle durant toute sa carrière, tandis que, moi, je suis chef, à trente-cinq ans. On me confie des tâches ardues, je les exécute de mon propre chef et je me sens responsable. Je dis — tu écoutes bien —, je dis que, petit à petit, si Dieu le veut, nous serons investis de plus en plus d'autorité. Et, si ça se trouve, je finirai tout en haut de l'échelle, si haut que tu ne pourras même plus me voir. Tu entendras peut-être ma voix au téléphone — ou à la télévision. Crois-moi, la police a du bon. C'est une profession libérale, aussi sûre que la Sûreté de l'État. On peut y faire son chemin, à condition d'exécuter les ordres du gouvernement et de laisser l'eau de vaisselle aux politiciens.

Mis ainsi en veine de confidences, l'inspecteur évoqua sans plus tarder des pans de son enfance. Il en avait les larmes aux yeux.

— Mon père à moi, dit-il, tenait un four. Tu sais bien : un *ferrane,* un de ces fours publics de quartier où les ménagères apportaient leurs pains ronds sur une planche pour les faire cuire.

— C'était le bon temps! dit le chef. Il poussa un soupir.

— Oui, le bon temps, comme tu dis, chef. Mon père n'était pas propriétaire de ce four, il n'en était que le... le serviteur, c'est bien le mot. Il n'était même pas payé. Pour cuire six pains, on lui donnait un sou percé, en bronze. Une petite échoppe à sol de terre battue, sans rien, pas une natte, rien que le four à pain dans un coin et la chaleur par tous les temps. On avait bien chaud en hiver. Quand mon père ouvrait le four, on pouvait voir où on mettait le pied. Sinon, c'étaient les ténèbres, jour et nuit. Je vois encore l'escalier au fond de la boutique, une échelle raide, à barreaux très espacés. Là-haut, une espèce de galetas et deux matelas. C'est là qu'on vivait. Nous étions sept enfants, plus ma mère et mon père qui enfournait le pain en bas.

— Et alors, qu'est-ce que vous mangiez en ce temps-là?

— Nous mangions du pain! Il faut te dire, chef, qu'il y avait plusieurs sortes de pains, selon la richesse ou la pauvreté. Il y avait des pains de froment bien blancs, aussi blancs que les bourgeois qui s'en gavaient, aussi dodus que leurs panses ou leurs derrières; des pains d'orge ou de fécule de glands, secs, maigres et gris comme les miséreux qui s'en sustentaient; et puis, les pains intermédiaires, ceux des classes moyennes.

— C'était du temps des Français! dit le chef d'un ton sec.

— Tu as raison, chef. C'était leur temps. Mais je crois bien n'avoir jamais vu aucun d'entre eux entrer dans la boutique de mon père. Ils achetaient leur pain dans des boulangeries françaises.

— C'était leur colonialisme, dit le chef d'une voix dure. C'était leur système de domination, tu le sais aussi bien que moi.

— Oui, chef, tu as raison. C'était tout ce que tu voudras. Donc, mon père s'arrangeait toujours pour brûler un ou deux de ces pains joufflus. Il se faisait engueuler par les richards mais il invoquait le peu de levain, le trop de levain, l'enfer et le diable — et c'était autant pour nous autres. On mangeait ces pains calcinés de bon cœur. Ça et les restes que rapportait ma mère à la fin de sa journée. Elle était domestique dans une grande maison.

Le chef bâilla, puis se tapota la bouche pour la refermer. Il dit :

— Considère que de nos jours il n'y a plus de ces pains brassés par les ménagères, même brûlés. Il y a le pain industriel qu'on achète dans les supermarchés, sous cellophane! Il y en a qui arrive de *Djermany!* C'est quelque chose, ça!

— Oui, chef.

— Considère la magnifique évolution que notre pays a connue en deux générations, disons trois : ton père n'avait rien et te voilà, toi, son fils, assuré d'avoir tous les mois un chèque barré garanti par le gouvernement.

— Oh! je ne me plains nullement, chef. Pas le moins du monde.

— Tu as un beau costume et tu peux te payer une montre de pilote d'avion. Tu ne manques de rien, tu es quelqu'un. Tu as l'autorité, une délégation du pouvoir. Ah! les temps ont bien changé!

— Oui, chef. Mon père est mort un jour en descendant cette vieille échelle. Il s'est rompu le cou.

— Les temps ont changé pour *toi!*

— Oui, chef.

— Alors cesse de discuter. Voilà bien longtemps que nous sommes arrivés à destination et tu n'as pas cessé d'évoquer le passé. Ça sert à quoi?

— A rien, chef.

— Alors tais-toi et baisse cette glace, bon Dieu! On étouffe ici. Il n'y a pas d'air.

C'était une glace bleutée, tout comme le pare-brise. L'inspecteur n'avait pas tourné la poignée plus de deux fois que le chef se mettait à hurler :

— Qu'est-ce que c'est que ça? qu'est-ce que c'est que cette fournaise?

— C'est l'air du dehors, chef. On est en juillet et m'est avis que ça tape dur. J'ai connu ça autrefois, dans le four de mon père.

— Referme-moi cette glace tout de suite! Tout de suite!

L'inspecteur releva la glace et contempla son chef. Il prit le temps de caler sa langue dans sa bouche, comme une chique, avant de l'agiter de nouveau et de poser cette question :

— Qu'est-ce qu'on fait?

Le chef garda le silence. Il regardait fixement ses ongles, comme s'il devait y trouver une réponse.

— Chef, c'est toi le chef. Tu as beaucoup plus d'autorité que moi. Qu'est-ce que tu décides?

Par-delà le pare-brise taché d'insectes déjà desséchés, minéralisés, c'était le royaume primitif, l'éternité retrouvée : la terre et le soleil. Pas une ombre. L'inspecteur n'osait pas trop regarder les veines qui gonflaient dans le cou du chef. Timidement il dit :

— Si je me souviens bien, ces montagnards n'ont pas de salle de bains, ils ne sont guère civilisés. Ils n'ont même pas d'eau. Pas la moindre source à l'horizon. Peut-être un puits? Dans ce cas, il doit être très, très profond. A l'heure qu'il est, il doit être sec comme un caillou. J'ai beau regarder de tous les côtés, je ne vois rien. Deux ou trois maisons de terre, des maquis et, là-haut dans le *djebel,* des arganiers, des jujubiers et quelques cèdres. Mais c'est bien tout, chef, crois-moi. Ce village m'a l'air vide, abandonné. Allez, on rentre? Il nous reste assez d'essence, profitons-en!

Le chef se tourna vers lui d'un bloc et hurla, la face congestionnée :

— Maudite soit la religion de ta race!

— Je ne suis pas juif, dit l'inspecteur en essuyant les postillons qu'il venait de recevoir sur la figure. Je suis arabe comme toi, chef! Par Allah et le Prophète!

— Ouvrier! Tête de chaudron! Qui m'a fichu un inspecteur pareil! Incapable de prévoir... Je dois tout faire moi-même... Oui, tu es un incapable! Tu aurais dû te renseigner avant le départ! Le Service météorologique, ça existe! Chien bâtard! Ah! je suis bien secondé!... Tu devrais t'établir coiffeur ou garçon de café, inspecteur de mes choses! Cervelle de testicule!

— C'est ça, approuva l'inspecteur. Tout est de ma faute. Vas-y, vide ton cœur. Je suis là pour ça.

— Je vais te cogner, dit le chef en le menaçant du poing.

— Cogne plutôt sur ce soleil! Tu pourrais sans doute l'éteindre.

— Je vais te virer.

— Tout de suite, chef? Je peux descendre?

— Reste ici! cria le chef de toute la force de ses poumons.

Trois ou quatre minutes plus tard, quand il jugea que son supérieur s'était calmé quelque peu, l'inspecteur reprit sur le ton de la conversation, comme si de rien n'était :

— Tu pourras toujours dire que tu as enquêté sérieusement, dans tous les horizons, à droite comme à gauche, en profondeur et sur la montagne et que... et que tu n'as rien trouvé du tout. J'affirmerai de même, sous la foi du serment, je suis prêt à signer immédiatement. Ce village n'est même pas indiqué sur la carte — et pourtant c'est une carte d'état-major que nous avons consultée ce matin, toi et moi. Autant dire alors qu'il n'existe pas. Le mieux que nous ayons à faire, c'est de tourner le capot de cette voiture vers l'ouest, ou le nord si tu préfères, et d'aller passer tranquillement nos quatre ou cinq jours d'enquête dans un hôtel de la côte, avec cocktails, piscine, salle de bains, douche à volonté et une nourriture abondante et raffinée.

Nous avons des frais de mission, la question de la pension ne se pose donc pas.

— Tu parles sérieusement? demanda le chef.

Sa voix était basse, ses yeux fixes.

— Non, pas le moins du monde. Je plaisantais pour passer le temps, il n'y a pas de mal à ça.

— Alors plaisante en dehors de tes heures de service — *et en silence!*

— D'accord, chef. Si je l'ai fait à voix haute, c'était pour t'égayer : ça chauffe dur dans cette bagnole et il n'y a pas le moindre ventilateur à ta disposition. Ne parlons donc plus de ce petit séjour à la plage. C'est la fatalité, le fatalisme.

— Tais-toi! tu m'empêches de réfléchir.

— Tout de suite, chef... J'y pense tout à coup : nous sommes en mission secrète, c'est bien ça?

— Oui, pourquoi?

— C'est bien ce que je me disais! Nous devons passer inaperçus, *incognito*. Dans ce cas, chef, peux-tu m'expliquer? Moi, je suis en civil et, toi, tu es en uniforme, en tenue de chef. N'importe quel plouc te reconnaîtra de loin.

Le chef jeta un coup d'œil sur sa manche galonnée, souleva ses pieds bottés, les regarda. Et puis, il se mit à rire.

— Ces paysans n'ont peut-être jamais vu un uniforme de leur vie. Et je me dois, dans tous les cas, de le porter pour faire preuve d'autorité. J'ai même prévu qu'en cas de difficulté je mènerais mon enquête en langue française. Eh oui! je me ferais passer pour un Français.

— Avec ta tête brune, chef?

— Qu'est-ce que tu veux dire par là? Tu ne sais donc pas qu'il y a des Français bronzés?

— Si, chef, ça existe... ça existe. Mais je ne sais pas à quoi c'est dû, peut-être un reste de pois chiches qui ne veut pas passer : ces montagnards parleraient-ils français par hasard?

— On verra bien, dit le chef. Tu me fais perdre du temps.

Tu causes, tu causes et tu n'es pas fichu d'avoir une seule idée...
Comme on disait autrefois, le bonjour amène la conversation
et la conversation amène la carotte. Les décisions m'appar-
tiennent et les voici : il y a une poignée à cette portière, baisse-
la de haut en bas et la porte s'ouvrira. Tu descends, tu ouvres
le coffre et tu prends nos sacs de voyage et mon fusil. Vu?

— Vu, chef.

— Et prête-moi tes lunettes de soleil. Je te les rendrai à la
fin de la mission.

— Avec plaisir, chef.

2

L'homme était debout dans le soleil, les mains croisées sur un bâton presque aussi grand que lui et le menton reposant sur ses mains. Il était sans âge — et peut-être sans pensées. Immobile. Devant lui, à un jet de salive, il y avait un âne rouge aussi immobile que lui, les yeux vides, la queue pendante comme une corde de chanvre détressée, et deux moutons squelettiques qui essayaient de brouter un chaume aussi sec que du contre-plaqué. Hormis ce souvenir d'herbe, il n'y avait rien — rien que la terre durcie et couleur de jarre, les murs de pierres nues qui enserraient l'enclos où l'homme et ses bêtes semblaient pétrifiés de toute éternité. Pas un lézard, pas un souffle d'insecte. En contrebas du sentier tracé par des générations de paysans, le village aux maisons endormies, avec sa petite place sertie de cailloux. Et, là-haut, tel un mirage, la montagne de granit couronnée de cèdres et de jujubiers assoiffés d'eau et de vie. Au-delà de l'enclos, à portée de voix, un buisson d'épineux couvert d'âge et de poussière. De l'horizon à l'horizon, tombant du septième ciel, la chaleur du Jugement dernier.

L'homme au bâton avait entendu une voix d'acier rugissant déchirer le silence; un peu plus tard lui étaient parvenus trois claquements de tôle heurtant la tôle. A présent, il était à l'écoute d'une paire de pieds derrière lui, raclant la roche, montant le long du sentier et envahissant sa paix. Il ne fit rien,

27

ne se tourna pas. Pas une fibre ne bougea dans son visage tanné par des décennies de soleil, buriné par le vent de tous les hivers. Deux hommes le contournèrent lentement, comme s'il eût été une apparition ou un épouvantail, une voix dit devant lui :

— Nous sommes des chasseurs. Ah! ce qu'il fait chaud! ça ne te fait rien, à toi, cette chaleur d'enfer?

Le paysan ne prit pas la peine de répondre. C'était inutile. Il avait deux yeux et c'étaient de bons yeux : l'un de ces hommes portait un fusil en bandoulière, c'étaient donc des chasseurs ou tout comme. Le soleil était quelque part dans le ciel, c'était évident. Quant à lui, non, il n'avait ni chaud ni froid, il était en paix avec lui-même, l'âme loin de toute impatience — et alors à quoi bon parler? C'est pourquoi il leva vers l'homme en uniforme et lunettes noires une face qui lui sembla être celle d'un ahuri.

— Il y a du gibier par ici? dit le chef.

— Des perdrix? ajouta l'inspecteur.

L'homme remua les lèvres en silence, comme pour traduire ces mots en une langue connue de lui seul, scruta le visage de ces deux intrus, puis leurs mains, leurs pieds et dit d'une voix traînante :

— Des perdrix?

— Oui, des perdrix, dit le chef. Est-ce qu'il y en a?

— Où ça? demanda le paysan après avoir réfléchi.

Il se dandinait d'un pied sur l'autre. La corne de la plante de ses pieds avait l'épaisseur d'un pneu de vélo.

— Ici, dit le chef.

— Ici?

— Oui, ici.

Le paysan émit une sorte de reniflement. C'était peut-être sa façon de rire. Ses yeux étaient cerclés d'une infinité de petites rides.

— Il y a, dit-il.

— Où ça?

— Là.

— Mais où, là?

— Là.

— Tu veux me montrer? demanda le chef au bord de l'apoplexie.

Une veine battait sur sa tempe, aussi grosse qu'un câble téléphonique.

— Tu veux que je te montre, fils?

— Oui.

— Des perdrix?

— Oui! où est-ce qu'il y en a?

— Là, dit le paysan.

Brusquement il lança son bâton vers le buisson d'épineux et, presque en même temps, un vol lourd de perdrix s'éleva, cinq ou six, qui filèrent en rase-mottes en direction du djebel, disparurent en un instant derrière le massif de jujubiers. Et puis, la poussière retomba lentement; lentement, le silence reprit son empire.

— C'est malin, dit le chef en faisant jouer la culasse de son fusil en un va-et-vient furieux.

— Oui, approuva le paysan. Elles sont malignes, ces petites bêtes. Elles flairent aussitôt le danger.

Sans transition aucune, il lança un ordre bref et guttural au solipède :

— Rrrra!

L'âne rouge secoua les oreilles et se mit en marche. Sans se presser, il trotta en direction du mur de l'enclos, là où il y avait une brèche, la franchit, disparut dans le buisson, puis il revint tout aussi paisiblement, le bâton de son maître entre les dents. Le paysan le prit, fouilla sous sa longue chemise couleur de terre et tendit à l'âne un morceau de sucre.

— C'est un âne ou un chien? demanda l'inspecteur, les yeux exorbités.

29

Le vieux ne répondit pas. Il avait saisi son bâton, joignait les mains, y appuyait son menton. C'était comme si rien ne s'était passé, comme si les mots étaient vides de sens.

— Tu l'as dressé?

— Il aime bien le sucre. Comme tous les vieux.

Et ce fut tout. L'âne était revenu à la même place, ne regardait rien ni personne. Les deux moutons étaient debout, l'un d'eux avait un brin de chaume à la bouche. Il ne le mâchait même pas. Le temps semblait se dissoudre dans le soleil. Sur la face des deux hommes venus de la ville coulait la sueur — la fatigue, une sorte de révolte contre le destin. Celui qui était en uniforme respirait par la bouche. Il dit :

— Comment s'appelle ce village?

Les mots sortaient de son corps comme autant de cailloux secs.

— Le village, répondit le paysan d'une voix plus traînante encore.

— Oui, mais comment l'appelle-t-on?

— Le village.

— Quel est son nom?

— Alors je ne sais pas.

— Il a bien un nom? insista l'inspecteur.

— Oui, le village. C'est ainsi qu'on l'a toujours appelé, nous autres.

— Qui ça, nous autres? cria le chef.

— Les gens du village.

— Ne t'énerve pas, chef, intervint l'inspecteur. Laisse-moi faire. Laisse ce fusil tranquille... Dis-moi, grand-père, où habite le représentant du pouvoir central?

— Je ne comprends pas, dit le paysan après avoir longuement réfléchi.

— Dans toute localité du royaume, il y a l'État, un représentant de l'État, dit l'inspecteur en martelant les syllabes comme s'il s'adressait à un simple d'esprit.

L'homme de la montagne souleva légèrement le menton, leva la main et chassa le bruit des mots. Ces hommes de la civilisation étaient montés jusqu'à lui, ils le forçaient à s'intéresser à eux et à leur monde, à penser, comprendre, répondre. Il prit tout son temps pour mettre provisoirement sa paix à l'intérieur de lui-même, comme à l'abri, puis il dit :

— Je ne connais personne de ce nom.

— Quel nom? hurla le chef.

— *Léta.*

Et parce qu'il savait maintenant qu'il leur fallait beaucoup de mots pour admettre l'évidence, il ajouta avec simplicité :

— Je suis né ici et je ne suis plus tout jeune. Je ne connais personne au pays, femme ou homme, qui ait ce nom-là : Léta.

Il agita la main vers les quatre points cardinaux, dessinant dans le vide les contours du village, indiquant la terre et le ciel, les vivants et les morts.

— Personne, conclut-il.

— Il y a bien un chef? un caïd?

— Non. On est tous pauvres, on est tous pareils.

— Il y a combien d'habitants dans ce village?

— C'est difficile à dire... Attendez voir... Trente-deux, trente-quatre peut-être bien... Il y en a qui naissent, il y en a d'autres qui meurent... Trente-quatre, ou trente-trois... les gens, je veux dire... Je ne compte pas l'âne ni les deux moutons que voilà. La mule doit être quelque part dans le djebel.

— Il y a plusieurs familles?

— Non, c'est la même. Les Aït Yafelman.

— Mais il y en a bien un qui commande ici?

— On est tous des Aït Yafelman.

— Et toi, comment tu t'appelles?

— Aït Yafelman. Comme les autres. Y a pas de différence.

— Quel est ton prénom?

— Ah! tu veux dire le petit nom que m'a donné ma mère à ma naissance?... Il y a longtemps de cela... bien longtemps!

— Et quel est-il?

— Raho. Je suis le grand-père.

— C'est donc toi le chef?

— Oho, non! Moi, je garde les moutons. Il n'y a plus que ces deux-là. Dans le temps, quinze ou vingt ans à peine, il y en avait tout un troupeau.

— Ah!

— Oui. C'est la vie. Et c'est la mort.

— Et des étrangers? Est-ce qu'il y a des étrangers dans ce village?

— Oho, non! On est tous des frères, on se connaît tous. C'est la même famille, les Aït Yafelman.

— Je veux dire à part les Aït Yafelman?

Raho se gratta la tête, regarda la plaine puis la montagne.

— Des gens qui ne sont pas comme nous? demanda-t-il.

— Oui, dit le chef, des étrangers!

— Il y a, conclut le vieux paysan. Des gens qui viennent, passent et s'en vont. C'est leur destin. Il y en a qui descendent du djebel, d'autres qui montent de la plaine, comme toi et ton camarade. On ne peut pas arrêter le vent quand il souffle. Et puis, le village est ouvert, il n'y a pas de frontière.

— Aucun étranger ne s'arrête ici? même pour une journée?

— Si, il y a. Mais ces deux-là séjournent chez nous plusieurs jours. Ils viennent généralement au début du printemps.

— Ah? dit le chef. (Et l'inspecteur répéta comme un écho : « Ah? »)

— Oui, dit Raho. Des gens bien habillés comme vous, de la ville peut-être bien. Ils sont deux, comme toi et ton camarade. Ce ne sont jamais les mêmes, mais ils se ressemblent. Ils viennent les mains vides, fouillent les maisons et les grottes du djebel. Quand ils repartent, ils poussent devant eux nos bêtes. La dernière fois, ils ont pris la chèvre, on n'a plus de lait par conséquent. Il n'y a plus que cet âne, ces deux moutons et la mule, comme je vous ai dit. Ils disent à chaque fois que c'est pour l'impôt.

Le chef regarda l'inspecteur et celui-ci lui rendit son regard.

— Je n'ai rien vu dans le dossier. Et toi?

— Rien, chef. Pas un mot.

— Les gars des Finances auraient dû nous communiquer sur-le-champ leur dossier, tout de suite, immédiatement, sans plus tarder.

— Oui, chef. On dirait qu'ils sont mieux outillés que nous.

— Cela nous aurait permis d'avoir une base solide pour notre mission. Au lieu de cela, je suis en train de nager dans la sueur et le néant!

— Oui, chef.

Le paysan s'était éclairci la voix, à plusieurs reprises. Il toussait à présent, timidement. Il dit :

— Vous pourriez faire quelque chose pour nous... peut-être bien que vous les connaissez, ces gens de l'impôt. On n'a plus rien à leur donner.

— Ce sont des étrangers, lui dit le chef d'une voix chargée d'amertume. On n'est pas du même service. Ils gardent les choses pour eux!

— Mais vous les connaissez peut-être? Il y en a un qui a des lunettes noires comme toi... Dites-leur de ne plus revenir, j'en appelle à la *baraka* de Dieu sur vos têtes!

— Bon, dit le chef, conciliant. J'en parlerai aux grands chefs, compte sur moi. Ça ne se passera pas comme ça, bon Dieu! On verra bien qui commande dans ce pays, le fisc ou la Loi!... Dissimuler des éléments de l'enquête!... Entraver l'action de la justice!... Je vais m'en occuper sur-le-champ, tout de suite, immédiatement!

— Maintenant? demanda l'inspecteur. On rentre alors?

— Non, cria le chef. Après! Une chose après l'autre.

Raho entendait et comprenait le sens brut des mots. Son inquiétude était en train de s'éclaircir : peut-être était-elle sans

fondement? Il avait eu raison d'écouter et de parler, après tout.
Il s'était levé pour une bonne journée puisque la récolte s'annonçait bonne. Posant une main sur la casquette du chef, il
le bénit.

— Au nom de Dieu clément et miséricordieux, que Sa paix
descende dans ton cœur et illumine tes actes et tes paroles
à jamais!

— Bon, dit le chef de police, bon! Hmmm!... J'ai besoin de
me reposer, je suis crevé, grand-père. Dis-moi : où est ta
maison? où est-ce que tu habites?

— Pas plus loin qu'ici.

— Où ça? à quel endroit?

Raho lui jeta un rapide coup d'œil et souleva le pied, le
reposa à la place exacte où il se tenait debout. L'inquiétude
commençait à l'envahir de nouveau, confuse et lancinante
comme celle qu'il ressentait à chaque fois à l'approche d'un
danger — armée de sauterelles encore lointaine ou autre
calamité de Dieu et des hommes. Ce fils d'Ève et d'Adam
venait pourtant de lui promettre l'espoir...

— Ici même, dit-il. Et parfois là-bas, à l'angle du mur. Quand
vient le soir, je m'accroupis et la nuit tombe, puis elle remonte.

— Tu dors ici par tous les temps?

— Oui.

— Même en hiver, quand il pleut?

— Quand il pleut, il pleut. L'eau du ciel est bonne pour les
bêtes et les gens.

— Et ça ne te fait rien?

— Oho! J'ai mon capuchon, je le rabats sur ma tête. Des
fois, on m'invite dans une des maisons, mais je m'y sens
comme dans une prison.

— Et les autres? Où habitent-ils? où sont-ils?

— Qui?

— Les autres membres de la tribu?

— C'est la famille, pas la tribu.

Soudain, sans aucun préliminaire, le chef de police devint fou furieux. Il bondit sur le paysan, la bouche déformée par un rictus, brandissant comme une matraque son fusil tenu par le canon à deux mains. Sa voix chevrotait de colère, montait depuis son autorité bafouée pour redescendre dans ses instincts primordiaux. La civilisation montait et descendait aussi, tel un soufflet de forge — et la loi constitutionnelle et écrite redevenait ce qu'elle était à l'origine, verbale et orale :

— Vieille merde sèche!... Tu... tu vas... Je te... je vais te faire avaler ce qu'il te reste de dents... Chien de ton père et de ta race!...

L'inspecteur s'était interposé aussitôt, lui avait arraché son fusil, essayait de le calmer, le tirait par la manche, répétant sur tous les tons :

— Chef!... chef!... chef!...

Il s'adressa à lui en français, pensant à juste titre que cette langue agirait sur lui efficacement, comme une douche glacée ou un dissolvant de la marée noire de la colère, et le ramènerait à la civilisation et à la raison :

— *Chif!... Coute-moi ti peu!... Citidiot ski ti fais là, chif!... Pense ti peu à ta mission officiyile!... Di calme, chif!... di calme!...*

L'homme de la montagne n'avait pas bougé non plus qu'un roc. De ses entrailles à ses yeux montait l'incompréhension par flots. Il avait perçu les cris et les mots, l'agressivité et le mal, la détresse aussi, mais il n'arrivait pas à en reconstituer le sens. Se pouvait-il qu'un fils d'Ève et d'Adam eût plusieurs langues dans la bouche et fût habité par tant de démons? L'homme en costume de ville ou d'impôts faisait face à celui qui était en tenue de chasseur, lui tenait tête avec sa peur et son courage, tournait avec lui pas à pas. Raho savait bien qu'il était en train d'éteindre l'incendie en saupoudrant ses propos de sucre, rien qu'à la façon qu'il avait de sourire comme un chien abandonné et de courber l'échine. Et peut-être le dialecte barbare qu'il employait était-il celui des démons...

— *Chif!* continuait l'inspecteur, *nitimi pas dans cititat!*... *Citun homme di Moyen Age, ti es di double X siècle, toi, voyons!... Ti vas pas ti li mitre en coulire avec type di Moyen Age, chif?...*

Le chef soufflait par la bouche, respirait par la bouche. Sa fureur finissait de fuser. Il dit dans la langue de Voltaire :

— *Kestudis, toi? Qu'est-ce que tu baragouines?*

— *Ji ti dis di calme, chif! Ji ti cause avec ma tête. Citun plouc di Moyen Age, ti vas pas reculer vers les tinibres, dis donc!... C'est rien qu'un sauvage, ji ti dis, il a di mou di chat dans la tête... Y a pas di cervelle là-didans, c'est rien que di l'éponge...*

— *Sauvage!* s'écria le chef. *T'as vu comment qu'il se foutait de ma gueule? Putain de sa race! Pourquoi que tu m'as empêché de le zigouiller? hein? hein?*

— *Bon!* répondit l'inspecteur. *Bon! Ti li tues, d'accord! Li fusil il fait « bang » et les types ils foutent le camp! C'est di nomades, va donc les rattrapi! Et ta mission officiyile elle fout le camp avec!*

— *T'as peut-être raison. Tu baragouines, mais t'as sans doute raison.*

— *J'ai rison! Laisse-moi faire, chif, ti vas voir... Ji vais li causer à ci coriace di Moyen Age avec diploumatie di Moyen Age. Bouge pas, chif!...*

L'inspecteur se tourna vers le paysan et lui dit :

— Grand-père... Monsieur Aït Yafelman... Raho, tu as sans doute compris ce qui est arrivé à mon pauvre compagnon?

— Non, dit Raho, toujours strictement immobile.

— Il est fatigué, il a plein de soucis dans la tête. Alors le démon de la chaleur est entré dans son corps, tu comprends?

— Aha! Tu veux dire la *kouriyya?*

— Oui, c'est bien ça! La chaleur du Sahara et du Soudan qui a fait bouillir son sang, la *kouriyya,* comme on disait autrefois. Elle s'est brusquement emparée de lui et a tout mélangé, tout cuit : boyaux, cervelle, rate. Un peu plus et il retournait au Moyen Age. Mais je l'ai refroidi avec certaines paroles...

— *Hé! dis donc, toi!* cria le chef en français.

— *Tais-toi, chif! Laisse-moi faire, nom d'un rat mort! Ti vas bousiller tout li travail diploumatique.*

— Il ne m'a pas l'air d'avoir repris tous ses esprits, dit lentement Raho.

— Ça va venir, dit l'inspecteur, ça va venir.

— Il reste encore en lui un peu de *kouriyya.* Tu vois, fils, là-bas, sous ce tas de pierres, il y a une racine. On la mâche et il n'y a plus de *kouriyya.* C'est souverain. Tu veux que j'aille en cueillir?

— Non-non, répondit l'inspecteur, il est en train de se refroidir.

Il joignit les mains et ajouta d'une voix grave :

— Grand-père, nous sommes des hôtes de Dieu.

Laissant choir son bâton, l'homme de la montagne vint vers lui, les yeux lumineux. Toutes ses rides s'étaient mises en mouvement, du cou vers la base du nez et du front vers les lèvres, telles les alluvions d'un delta, donnant naissance à un sourire ouvert, épanoui. Il lui donna l'accolade, l'embrassa sur l'épaule gauche. Il dit :

— Bienvenue à toi dans ce village, fils! Et bienvenue à ton compagnon! L'hospitalité est sacrée.

Autour de son cou, il y avait une ficelle à laquelle était suspendue une corne de taureau. Il la saisit à deux mains, l'emboucha, en tira deux notes grêles, suivies de leurs résonances entre la terre et le ciel.

— Les Aït Yafelman sont prévenus maintenant. Ils vous

attendent là-haut. L'âne va vous conduire, il connaît le chemin. Vous pouvez monter sur son dos tous les deux.

— La charge va être trop lourde pour cette pauvre petite bête.

— Ha! dit le montagnard. Il fait ce qu'il peut et il ne fait pas ce qu'il ne peut pas. Attends de le voir à la besogne. *Aji!* lança-t-il à son âne, *zid!*

Frissonnant d'un seul frisson de l'échine aux naseaux, une oreille aplatie, l'autre aussi droite qu'un pieu, le bourricot se mit en marche vers le chef, comme s'il eût su à l'avance, de toute éternité animale, que celui-ci allait l'enfourcher près de l'encolure et que l'autre monterait en croupe, derrière lui.

— Il peut, conclut Raho. Sinon, il n'aurait pas bougé d'un pouce.

Il les aida à s'installer, plaça entre eux leurs sacs de voyage et dit :

— Rrrra!

L'âne redressa son oreille qui était horizontale et se mit à cheminer d'un pas de philosophe. Franchi l'enclos, dépassé le buisson d'épineux, le chef de police fit remarquer :

— Bravo, inspecteur! Tu t'es bien débrouillé. Nous voici à présent dans la place. Je ferai un bon rapport sur toi.

L'inspecteur ne dit rien. Il pensait à son père, mort depuis des années — mort et enterré avec toute son époque. Lorsque frappait à la porte de sa petite échoppe sombre un homme plus pauvre que lui, voyageur, mendiant, étranger, disant : « Je suis un hôte de Dieu », le sourire qui illuminait aussitôt la face du gardien du four avait la même inondation de joie que celui que le policier venait de voir sur le visage de ce vieil homme de la montagne. Le sentier qui montait vers le djebel lui semblait descendre vers le passé. L'air était sec. Les cœurs aussi.

Quelque vingt minutes ou vingt saisons plus tard, Raho rouvrit les yeux. Il avait ôté sa *djellaba,* l'avait étendue par terre, et il venait de faire sa prière du milieu du jour, paupières closes. Cela, c'était la religion, le tribut qu'il payait cinq fois par jour à l'Islam — tout comme lui et le clan des Aït Yafelman payaient leur tribut annuel à l'État, sous forme de moutons ou de chèvres... et, bien avant cet État, il y avait eu un autre État qui envoyait au village un contrôleur civil et un gendarme, au moment des maigres récoltes. La montagne était toujours debout, des arbres s'étaient desséchés, d'autres les avaient remplacés. La vie était toujours là. Dans la mémoire séculaire de Raho, nourrie par des générations, il y avait le souvenir d'une autre terre, une plaine verdoyante avec des collines plantées d'arbres fruitiers, où vivait le clan. Il y avait l'*herbe!* la terre était généreuse, les fruits variés et innombrables. A quel souvenir pouvait ressembler maintenant une orange?... Et puis, comme des armées de sauterelles ou autres calamités de Dieu, les invasions au nom de Dieu, de la civilisation ou des hommes avaient chassé le clan, ou ce qu'il en était resté, vers d'autres horizons, loin de la plaine, puis loin des plateaux, toujours plus haut, plus haut, de siècle en siècle et de progrès en progrès. Certains ancêtres s'étaient convertis à la religion de l'occupant, simplement pour avoir la paix et continuer de vivre, même sur une terre de plus en plus haute, de plus en plus aride. D'autres avaient essaimé : ils étaient devenus des nomades. Et, plus tard, des membres du clan Aït Yafelman avaient franchi les mers pour faire les deux guerres mondiales — et peut-être y avaient-ils trouvé la paix...

« Les vieux du village et moi, se dit Raho, nous allons bientôt mourir. Nous avons fait notre temps. Et nos descendants? jusqu'où vont-ils monter? Il n'y a plus rien là-haut, dans le djebel... Rien que la frontière... Ils ne vont quand même pas descendre dans le pays voisin? Et peut-être, qui sait, d'autres paysans du pays des Algériens sont-ils en train de monter, eux aussi, à la recherche de subsistance et de liberté... Mais, au-delà du djebel, il n'y a rien, plus rien que le ciel... »

L'une après l'autre, il posa ses mains sur le sol, à plat, doigts écartés. Bien avant la civilisation ou l'Islam, derrière les événements de l'Histoire, il y avait eu le culte de la terre. De génération en génération et de fuite en fuite devant les conquérants de toute race, il s'était perpétué jusqu'à lui, par voie orale. Raho avait fait son devoir, il avait rendu sincèrement hommage au dieu impersonnel des monothéistes. Et maintenant, par les mains et par son siège il était en train de percevoir la terre, d'avaler en lui la force élémentaire et prodigieuse de la terre. C'était très simple : il lui suffisait de s'ouvrir, comme les racines d'un arbre. La sève était là, la vie, tout au fond.

Devant lui, brillaient au soleil le fusil que l'homme à la *kouriyya* avait oublié dans le reste de sa colère et de sa déraison et les balles que l'homme de la montagne en avait extraites. Les membres du clan étaient prévenus, savaient ce qu'ils devaient faire. Surtout la vieille Hajja. Il avait eu raison de faire retentir la corne de taureau par deux fois : une note pour l'hospitalité due à n'importe quel fils d'Ève et d'Adam, fût-ce un ennemi; et puis, la seconde note pour l'éveil... En pensant à Hajja, un sourire plissa son nez à la manière d'un renard. Raho se baissa, se prosterna et baisa la terre. C'était la voix de cette mère nourricière qui lui avait commandé de souffler de la corne deux fois.

3

Assise à l'entrée de la caverne, les jambes étendues devant elle comme une paire de haches, Hajja aplatissait entre ses paumes avec des claquements secs une boule de pâte qui sentait le beurre rance à portée d'odorat et, un œil mi-clos, l'autre grand ouvert dans sa face menue et couleur de bois d'olivier, elle considérait l'âne qui déchargeait sa cargaison de citadins hargneux. Longuement, paisiblement, le temps de placer la galette sur une pierre chauffée à blanc, entre ses jambes, de la retourner, de la cuire. Puis elle ouvrit une bouche presque sans dents et dit :

— *Marhba! marhba bikoum!* Bienvenue! bienvenue à vous deux, fils de la plaine et de là-bas!

Mais ces mots furent précédés par son rire, aussi clair et retentissant qu'un orchestre de tambourins et de fifres. Le rire était dans chacune de ses paroles, les faisait étinceler entre ciel et montagne, éclater et ruisseler en une multitude de joies. Quand elle se tut, elle fit passer la galette par-dessus son épaule, une main surgie des ténèbres la happa, une autre main lui tendit une boule de pâte et Hajja se mit à la pétrir, à l'aplatir, en prenant tout son temps, tandis qu'une voix grêle lançait, venue du fond de la caverne :

— Merci, Hajja! Oh, merci! Que Dieu prolonge ta vie!

Frissonnant de la croupe aux naseaux, l'âne leva sa tête de vieillard vers le ciel et se mit à braire.

— Tu en auras, toi aussi, lui dit Hajja. Attends, patiente avec ton âme! Chacun son tour.

— *C'est une crétine ou une crétinos?* demanda le chef de police à l'inspecteur, en un français rogue et rêche. *Ma pagole d'honneur, elle peut pas être les deux à la fois,* ajouta-t-il en toute logique. *C'est pas possible, ma pagole d'honneur et de chef!*

Les genoux en équerre, il se massait les reins, douloureusement, avec des gestes mous. Sa figure congestionnée était couverte d'une espèce de mixture de sueur et de poussière, de colère aussi avec toutes ses toxines; son siège venait d'être labouré, talé, tout le long du sentier, tout le long de son « bafouement », par l'épine dorsale de ce salaud de bourricot marocain qui était là, le salopard, le con, en train de rigoler de lui avec ses grandes dents jaunes!... Quant à son uniforme! son bel uniforme d'autorité, en serge américaine garantie d'origine, venu tout droit des States tout comme l'armement de la police et le mode d'emploi : maculé, chiffonné, trempé de sueur aigre, griffé par les épines et les ronces, foutu, quoi! C'était bien simple : immédiatement, sans plus tarder, sur-le-champ, il allait coffrer tout le monde, tuer tout le monde, oiseaux du ciel compris, sans aucune exception, aucune, nom de Dieu! Il s'en prit d'un bloc à son subordonné qui restait là, debout dans le soleil, bouche bée, bras ballants, contemplant Hajja qui agitait une galette à bout de bras en guise de salut et répétait en riant : *« Marhba! marhba! »,* tandis que surgissaient d'autres cavernes, d'autres trous dans la montagne, des têtes de troglodytes hilares, béats, deux, dix, douze, trente, de générations diverses — et dix, douze, trente gosiers reprenaient en chœur comme un cantique :

— *Marhba! marhba bikoum!*

— *C'est des fous ou des mabouls ou des cinglés ou quoi ou qu'est-ce?* hurlait le chef. *Tu réponds tout de suite, hein, ou je te réduis en viande hachée de chrétien, hein, hein?*

42

— *Oh non, chif,* répondit l'inspecteur en sursautant. *Pas di tout. Cipaça di tout.*

— *Et c'est quoi alors? Tu vois pas qu'ils se foutent de ma gueule?*

L'inspecteur aspira l'air chaud et dit :

— *Craignos.*

— *Quoi? qu'est-ce tu baragouines?*

— *Ça craint,* dit l'inspecteur.

— *Qu'est-ce qui craint? Esplique, articule, cause français.*

— *Ça craint toi, chif. Craignos, quoi! Ils ont peur di toi, chif. Ci pour ça qu'ils rigoulent.*

Le chef marcha sur lui, bouche ouverte, poings fermés.

— *Dis donc, toi, hein? Tu te fous de ma gueule, toi aussi, hein?*

L'inspecteur fit un pas en arrière, puis deux, et dit :

— *Oh non, chif! ça me viendrait pas à la tête. Je t'explique, ci tout. Y a des suspects, j'en ai connu des tas et des tas, ils coummencent par rigouler, avant les interrogatoires. Et après ils rigoulent plus di tout. Mais avant, ils rigoulent comme des chiens, pour faire salamalecs. C'est psychologie di peur, c'est simple, ti vois?*

Il avala sa salive et répéta :

— *Ti vois, chif?*

— *Ah, comme ça, je comprends,* dit le chef avec un certain sourire. *C'est plus logique.*

— *Oui, chif, t'as rison. Et mainant, faut suivre les usses, chif.*

— *Les quoi?*

— *Les usses! la coutume. Faut répondre ti de suite dans les traditions à cette collection de primitifs.*

— *Ah! tu veux dire les* us? *Les us et les mœurs?*

— *Ci ça, chif, ci pareil. La coutume, les* usses *et les* morses. *Faut ce qu'il faut, même à la télévision. Suis-moi, chif, fais comme moi.*

Il se dirigea vers Hajja, lentement, comme s'il suivait une

procession, remontant son pantalon, lissant sa veste, tirant sur ses manches, se composant une figure terne d'enfant perdu à mesure qu'il s'approchait de la vieille femme. Il s'assit auprès d'elle en tailleur, lui prit les mains, les embrassa l'une après l'autre, plusieurs fois, disant avec vénération :

— Salut à toi, mère! Bénis-moi, petite mère, que les âmes de tes parents et de tes ancêtres reposent en paix là où elles sont, par Allah et le Prophète!

En retrouvant les mots de la tribu remontait en lui son enfance, par flots. Il n'avait jamais vu sa mère à la lumière du jour. Lorsqu'elle rentrait après sa journée de domestique, c'était le soir — et le four où ils habitaient était noir par tous les temps. Une seule fois il avait pu l'apercevoir en plein soleil de printemps, paisible et apaisée sur une civière en bois — avant que le fossoyeur l'eût descendue dans la tombe. C'était autrefois, là-bas, avant le football et la police. Il devait avoir dix ou onze ans. Peut-être neuf. L'âge d'homme et de la rue.

Maintenant, ici, sur la montagne, il retrouvait l'odeur du beurre rance, vieux d'un an ou deux, l'odeur des galettes sans levain qui doraient et grésillaient sur la pierre chaude — et cette senteur de clous de girofle surtout qui embaumait le corps de cette paysanne, ses cheveux, ses vêtements rapiécés et couleur indigo. Elle était de la même espèce que sa mère, pure et fruste, protégée du monde des chacals par son inexpérience même, par son manque de pensée. Car sa mère ne pensait pas. Les larmes aux yeux, il dit :

— Je suis un *berrani,* un orphelin de la vie, un étranger à moi-même. Bénis-moi, petite mère, au nom du Seigneur! Fais-moi le signe.

De l'index, elle lui traça sur le front le signe issu des temps anciens : un poisson entouré d'une étoile à cinq branches. Puis, les mains jointes sur la tête de l'inspecteur, elle dit :

— Paix, paix, paix sur toi! Paix de la montagne et de la

44

plaine, du désert et des arbres, des rivières et de la mer. Comment Dieu t'a-t-il nommé?

— Ali. Je m'appelle Ali. Je suis un égaré.

Au contact des mains de Hajja, il donnait libre cours aux quelques souvenirs gris qui lui tenaient lieu de repères. Il sentait les sanglots monter dans sa gorge — et il les laissa monter.

— Paix, mon fils, dit Hajja. Tu es de la ville, Ali? De tout là-bas, là-bas?

— Oui, Hajja, répondit-il en pleurant à chaudes larmes. Je suis... je suis d'en bas, de tout en bas!

— *Dis donc, toi!* rugit le chef de police dans la langue du xxᵉ siècle. *Tu crois pas que tu en fais trop?*

— Ton ami a soif? demanda Hajja. C'est pour cela qu'il se racle la gorge?

— Oui, Hajja. C'est cela : il a soif. Il a chaud, il est fatigué, il est en colère contre le soleil. Il n'a pas l'habitude.

— *Je vais te virer,* hurla la voix officielle. *Tête de crocodile! Je fais tout de suite un rapport sur toi : insulte à supérieur dans l'exercice de ses fonctions... et ce... et ce, en présence d'étrangers! Des suspects, qui plus est!*

— Oh! s'écria Hajja d'une voix pitoyable. Mais il râle, le pauvre homme! Il doit avoir le gosier tout desséché!

— Complètement, approuva l'inspecteur en s'essuyant les yeux. Plus que tu ne dis, petite mère! Sans compter la rate, les tripes et les boyaux, le cœur et tout ça. C'est tout sec, comme cette bonne vieille viande de mouton qu'on séchait au soleil autrefois avec un tas d'épices. Tu te rappelles? C'était avant l'Indépendance et les boîtes de conserves.

— Si je me rappelle! dit Hajja, les yeux liquides. Il doit y avoir dix ou huit ans, vingt peut-être bien, que je n'en ai pas mangé. Ça sentait bon, ça avait le goût de la lumière, c'était délicieux, si délicieux!... Tais-toi, fils! conclut-elle d'un ton sans réplique. Tais-toi tout de suite! Tu me mets l'eau à la bouche.

Ce n'est pas bien de tenter une vieille femme racornie comme moi avec des friandises, surtout si elles n'existent pas.

— Oui, Hajja. Je me tais tout de suite. Maudite soit ma langue de cochon. Je n'ai rien dit à propos de cette vieille viande. Rien du tout. Oublie, oublie!

Pendant ce temps, le chef se livrait à la démesure, indépendamment de sa volonté, frénétiquement, pour raison de force majeure et anarchique, faisant craquer les acquis de la civilisation, les interdits, les tabous, le devoir professionnel et même ce *surmoi* cher à Freud — se secouant, trépignant sur place, martelant le sol de ses bottes. Des cailloux voltigeaient, la poussière se soulevait lente et dense à hauteur d'homme — et, tandis que sortaient de leurs trous les habitants de la montagne, yeux ronds, oreilles dressées comme celles d'un lapin à l'heure de la rosée, et qu'ils s'agglutinaient autour de lui en fer à cheval, enfants, vieillards, hommes et femmes pleins de curiosité intense, intense, le chef de police lançait ses bras en des moulinets saccadés et vociférait dans toutes les langues connues de lui seul : dans sa langue maternelle, en français, en anglais, en américain de poker, en allemand de taverne, en wolof, soit dans toutes les langues civilisées dont il avait parfaitement assimilé les injures. Ce faisant, il se comportait en homme du Tiers Monde qui, outre les déchets de la culture ou à peu près, avait reçu de l'Occident les détritus de ses valeurs, les armes en plus. Très loin évidemment de toute pensée discursive, pour l'heure il était en train de beugler. Quelque chose comme* :

— *Ladinmouk et de ta rrrrace!... Ch'vais t'enculer, putain de ta mègue!... Bugger off shit!... Son of a bitch!... Oukc'est mon fusil que ch't'écrabouille les claouis à coups de crosse?... Kleb des chiottes!... Schweinhalloufhund!... Banderkatolikouyyoun!...*

---

* J'ai bien écrit « *quelque chose comme* », n'est-ce pas? Tenant compte de la loi culturelle sur « l'atteinte aux bonnes mœurs », j'ai dû tempérer la chaleur des expressions du chef. (NdA.)

— Et en plus, dit Hajja, il a les démons. Pauvre lui!

— C'est la danse de la pluie, lança une voix de vieillard, voilà ce qu'il est en train de faire. Sortez les récipients, les enfants, allez, allez! Surveillez le ciel!

— Il me semble bien, grand-père, qu'il n'est pas tombé une seule goutte depuis fort longtemps, dit un long jeune homme à lunettes. (On l'appelait le Savant, alias le Dictionnaire. Il se grattait sans cesse le cuir chevelu.) Depuis le temps des « Frankaouis », si ma mémoire est bonne.

— C'est pas le moment de faire un sermon, lui répartit aussitôt un gamin sans culotte. On n'est pas à la mosquée. Alors referme ton Coran français, hein, petite tête?

— Donne-lui à boire, petite mère, disait l'inspecteur qui voyait le visage de son chef devenir couleur de foie. Du moins s'il y a un peu d'eau dans ce village. Par pitié, il faut le refroidir tout de suite. Il est en train de donner une image ridicule du gouvernement de notre pays. C'est la chaleur, la *kouriyya*.

— De l'eau! cria Hajja en se retournant. Passe-moi la gourde! Vite, vite, vite!

Du fond de la caverne surgit la voix grêle, dominant le vacarme des individus et la cacophonie des nations — disant mot pour mot, chacun d'eux suivi d'un silence de réflexion :

— Tout-de-suite, Hajja. Mais-j'ai-quelque-chose-à-te-dire. Quelque-chose-de-très, très-important.

— Passe-moi cette gourde, répondit Hajja, et clos ton bec aussi fermement que tes yeux le sont depuis quelque temps. Il y a là un fils d'Adam et de la ville qui est en train de rendre l'âme. Elle lui sort par les yeux, les oreilles et surtout par la bouche. Il râle.

— D'accord, Hajja, voilà-la-gourde. Mais-j'ai-quelque-chose-à-te-dire-qui-ne-souffre-aucun-retard. C'est-la-vie-et-la-mort.

La gourde passa de main en main en une succession de piétinements sourds, tandis que Hajja apostrophait la caverne :

— Je préfère les sauterelles au malappris que tu es. Les

lézards aussi bien. Les mouches et les guêpes que Dieu a créées pour harceler les humains. Tais-toi donc! je t'écouterai tout à l'heure.

— D'accord, Hajja. Mais-ça-veut-dire-quoi, tout-à-l'heure?

Se retournant d'un bloc, Hajja lança une galette et dit :

— Attrape, mange et tais-toi!

— Oh, merci, Hajja... que-Dieu...

— Tout à l'heure, ça veut dire tout à l'heure. Le soleil est encore haut dans le ciel, la nuit n'est pas encore tombée. Il y a le temps. Serais-tu donc un enfant de Belzébuth au lieu d'être l'un de mes petits-fils, comme je le croyais?

— Qu'à Dieu ne plaise! protesta la voix grêle très précipitamment. Je ne veux pas connaître ce démon de l'enfer! Je suis ton petit-fils, tu le sais bien. Basfao, je m'appelle.

— Eh bien, Basfao, cesse de me piquer avec tes paroles ineptes. Je t'écouterai tout à l'heure, c'est-à-dire avant la fin du jour. Il y a une éternité d'ici là. Mais je crois bien que ce que tu vas me dire sera un braiment d'âne. Comme toujours.

— Oh! non, Hajja, répondit la voix qui retrouvait progressivement son calme et son tempo. Pas cette fois-ci. Nous-n'avons-rien-à-manger. Sauf-des-galettes-et-quelques-fèves. Très-très-peu-de-fèves. Alors-Basfao-te-demande : qu'est-ce-qu'on-va-offrir-à-nos-hôtes?

— Tais-toi, dit Hajja vivement. Baisse ta voix d'insoumis.

— D'accord, Hajja, je-la-baisse. Mais-ces-gens-ont-demandé-l'hospitalité-de-Dieu-et-ça-va-être-l'*ahchoum,* la-honte : une-gamelle-vide-ou-tout-comme, avec-cinq-ou-six-fèves-pour-chacun-d'eux! Haha!

— Baisse encore la voix jusqu'à ce que ta langue coriace se retourne dans ta bouche et descende tout en bas de ton ventre! Je le sais bien qu'il n'y a rien dans la marmite. Alors pourquoi me le rappeler avec des mots?

— Grand-mère, Hajja, peut-être-bien-que-cet-homme-vamourir-pour-de-bon? ça-résoudrait-la-catastrophe-à-moitié, haha!

— Tais-toi. Non, il est ressuscité, louange à Dieu. Il vient de boire et son camarade est en train de lui tapoter le dos en lui parlant dans le langage des démons, sans doute pour chasser les démons de son corps. C'est un homme de bien, d'ailleurs il s'appelle Ali comme l'un des califes des temps anciens. Tu sais bien? les légendes que je racontais à la famille, à l'époque où il y avait la bénédiction, l'herbe et le troupeau. Du lait et du fromage en abondance, des dattes, de... de *la viande séchée au soleil!*...

— Y-a-plus-que-les-fèves-et-les-va-nu-pieds, haha! et-les-califes-du-pétrole! Mais-raconte, Hajja. Dis-moi-ce-que-tu vois.

— C'est difficile. Il y a trop de poussière, de cris et de voix. Tu les entends, Basfao?

— Oui, ça-résonne-dans-la-caverne-comme-l'orage, mais-je-ne-comprends-rien. Aide-moi, Hajja, dis-moi-ce-qu'ils-font.

— Eh bien, ils continuent de refroidir l'homme. Cinq ou six Aït Yafelman l'aspergent d'eau. La gourde est vide maintenant, mais cet homme est sauvé, il s'ébroue, sa figure est moins rouge, louange à Dieu.

— Alors, le-revoilà-vivant-et-vorace? ça-va-être-la-biffe.

— Tais-toi, mais tais-toi donc! Tu m'empêches de voir ce qui se passe, tes paroles d'âne me troublent la vue.

— D'accord, Hajja. Je-ne-dis-plus-rien.

Pendant un temps, on n'entendit que le XXᵉ siècle sur la montagne. Rien d'autre. Et puis Hajja dit, tourné vers la caverne :

— On pourrait sacrifier l'un des deux moutons qui nous restent?

— Ces carnes? répondit l'aveugle à toute vitesse. Raho affirme qu'ils ont des gigots de bois. Mais, Hajja, qu'est-ce qu'on va manger cet hiver, nous autres? As-tu réfléchi à ça?

ça va être la vie pour nos deux hôtes et la mort pour les Aït Yafelman.

— Tais-toi, clos ton bec.

Brusquement elle éclata de rire, brusquement les tambourins et les fifres de sa joie éclatèrent aux quatre points cardinaux. Les mains en porte-voix, elle héla :

— Bourguine! Hé! Bourguine! Où es-tu à cette heure? Bour gui-ne!

— Ici, Hajja, répondit à la cantonade une voix grave. Je suis là, Hajja.

— Tu as toujours ton jeu de cartes?

— Toujours, Hajja. Et comment donc! Poker de la montagne.

— Alors attelle la mule et viens me voir. Viens prendre la commande.

— D'accord, Hajja, répondit Bourguine en s'esclaffant. J'arrive tout de suite.

— J'ai-compris, conclut l'homme dans la caverne. Tu-réfléchis-vite-et-bien, dis-donc! Tu-n'as-pas-vieilli, Hajja.

— Alors tais-toi, pour l'amour de Dieu. Sinon, je vais t'ouvrir la bouche et te peindre la langue en noir. Avec du goudron. Tais-toi et arrange la couche pour nos hôtes, là où il fait frais. Ils vont pouvoir se reposer, ils vont se déshabiller. Leurs vêtements sont pleins de poussière, de fatigue et de vieillesse, je vais les brosser et les mettre au soleil pendant qu'ils feront la sieste. Il faut soigner ces hommes de la plaine et de là-bas.

— J'ai-compris, répéta l'aveugle avec une sorte de hennissement.

— Alors sors! Aère-toi. Aère tes idées. Tu vas moisir là-dedans.

— D'accord, Hajja. Je-sors-tout-de-suite. Je-vais-enfin-pouvoir-participer à-la-fête.

A l'aveuglement blanc du soleil avait succédé la paix obscure de la caverne creusée dans le flanc de la montagne par des générations de rebelles à l'Histoire humaine. Les parois étaient suintantes et bienfaisantes, le sol jonché de vieilles peaux qui avaient perdu presque tous leurs poils. Engoncé dans une djellaba raide et rêche, le chef de police se souleva sur un coude, considéra longuement l'inspecteur qui dormait assis, bouche ouverte. Il était plein de tristesse, d'amertume aussi; il était démuni devant les instincts animaux. Il n'y avait pas d'autre terme : animaux! C'était quelque chose, ça! Voilà un homme dont les parents et les ancêtres avaient été colonisés, dominés, écrasés... et, de par la grâce du gouvernement libre, souverain et démocratique, cet homme était devenu son second, à lui, le chef! Il avait une parcelle d'autorité, il avait la dignité, la considération de ses concitoyens, il pouvait commander, diriger, exécuter! Et que faisait-il à cette heure? Il dormait comme le Tiers Monde! Il ne fallait pas chercher plus loin. L'explication était là, claire et évidente : les dirigeants des superpuissances étaient dans un état de veille permanente, eux. Ils ne plaisantaient pas, ils ne ressemblaient nullement à cet inspecteur de mes choses qui était là, comme abandonné, s'abandonnant lui-même, gencives découvertes, fuyant le devoir dans un sommeil séculaire et fataliste. Et, de surcroît, il y avait à côté de lui, étalés sur une peau de mouton, les insignes de son autorité : une paire de menottes, son carnet, son stylo, sa carte officielle d'inspecteur de police, sa médaille, son portefeuille avec tous ses papiers! Giscard d'Estaing, Brejnev, Carter, Mrs. Thatcher ne dormaient pas dans une grotte, eux, comme des bêtes!

Bandant son énergie planétaire, gonflant les muscles de son cou, le chef lança d'une voix de tonnerre :

— Réveille-toi!

— Hein? dit l'inspecteur en sursautant.

— Réveille-toi. Tu n'as pas cessé de ronfler depuis la capitale. Je fais tout dans cette baraque. Tu ne me sers à rien. Tu es une chose inutile. Voilà ce que tu es. Inutile et inerte.

— Je ne dormais pas, chef. Par Allah et le Prophète.

— Tu réfléchissais encore? c'est ça?

— Oh non! chef, pas ça. Plus jamais ça. C'est toi le chef, c'est toi forcément qui réfléchis, pas moi. Pas moi, répéta-t-il en secouant la tête de gauche à droite et vice versa.

Essayant d'étouffer un long bâillement, long et sinueux comme un boa, il ajouta :

— Je me reposais.

Il finit de bâiller, sourit d'une oreille à l'autre et expliqua en termes clairs et mathématiques :

— Je ne dormais pas, je me reposais. Cela fait une énorme différence, évidemment.

Ses yeux étaient sans expression, son visage plein d'innocence.

Le chef agita un index boudiné et d'autant plus menaçant :

— Je vais voir tout de suite si je suis un imbécile ou un chef à qui l'on doit du respect et des égards. Écoute bien.

Dans l'esprit de l'inspecteur, la première de ces deux hypothèses était la bonne, mais il n'en laissa rien transparaître. Il chassa cette pensée révolutionnaire, tout comme les pèlerins lapident Satan lors du pèlerinage à La Mecque. C'est pourquoi il rabattit son capuchon sur la tête avant de prêter une oreille attentive aux propos de son chef.

— Écoute-moi bien : tu te reposais de quoi? et tu te reposais pourquoi?

— C'est simple, chef. Il n'y a pas besoin de paroles.

— Qu'est-ce qui est simple, espèce de simple d'esprit?

— Eh bien, répondit lentement l'inspecteur, j'attendais tes décisions, chef. Tes ordres. Tout est clair dans ma tête, aussi sûrement que trois et trois font six en français. Et ça doit être encore plus lumineux dans la tienne. Je me reposais en attendant tes instructions.

Il bâilla de nouveau et ajouta :

— Voilà.

— Hmmm! fit le chef. Hmmm!

— Oui, approuva son subordonné. Tout est simple, il n'y a pas besoin de réfléchir. Il suffit de se reposer un peu.

Le chef se gratta le crâne, le lobe de l'oreille, le nez, très posément. Puis il dit :

— Ça sent le bouc.

— Moi? demanda l'inspecteur avec effroi. Ce que je viens de dire ou bien ma personne? (Il se mit à renifler sa djellaba sans plus tarder. Elle avait été tissée au début du siècle, elle était trouée, rapiécée, couleur de sable et, si elle sentait quelque chose, c'était le temps indestructible, un relent de vieux mouton peut-être bien — mais pas le bouc, oh non!)

— Pas toi, dit le chef. Ici, dans cette caverne. Tu ne trouves pas?

— Ah? Ah bon! Eh bien, à mon avis... à mon simple avis, bien entendu...

— Bien entendu. Et quel est cet avis? Lâche ta pensée!

— Eh bien, m'est avis que ça sent plutôt la pauvreté.

— Ah oui? dit le chef en se redressant sur son séant.

— Oui, chef. La pauvreté, la misère et l'ignorance. C'est une odeur que je connais bien. Y'a pas besoin d'être policier pour la reconnaître.

— Explique.

— Tout de suite, chef. C'est comme le bœuf.

— Quel bœuf? qu'est-ce que tu élucubres?

— Le bœuf, chef, n'est pas particulièrement intelligent. Comme son nom l'indique, c'est un ruminant, ses pensées sont nourries de foin.

— Et alors? Je ne comprends pas.

— C'est pourtant évident : le bœuf traîne la charrue et le paysan suit la charrue. Tu mets l'ignorance à la place du bœuf et qu'est-ce que tu trouves derrière? la misère et la pauvreté. C'est simple, tu vois.

Un long moment, le chef regarda ses ongles comme s'il les interrogeait, remua ses doigts de pied et les considéra, eux aussi.

— Débarrasse ta tête, dit-il, je te le conseille paternellement.

— Oui, chef.

— Dis que cette grotte est pauvre, sordide, moyenâgeuse, tout juste bonne pour abriter cette collection de montagnards primitifs. Mais ne parle ni de bœuf ni de philosophe de l'histoire.

— Oui, chef. Dieu m'en garde.

— Vois-tu, fils, tu es un bon gars, mais très, très compliqué. Tu essaies de raisonner comme un chef et c'est cela qui te gâte le caractère. Ça mélange tes idées avec tes paroles. C'est à moi de réfléchir. Toi, tu n'as qu'à exécuter, je me tue à te le répéter.

— D'accord, chef. Réfléchis et dis-moi ce que je dois exécuter. Quels sont tes ordres?

— C'est ça! s'exclama le chef. Tu veux que je me précipite inconsidérément, comme un insensé, immédiatement, sur-le-champ, tout de suite? Apprends donc que la pensée véritable est quelque chose de très important. Elle ne s'improvise pas.

— Oui, chef.

— Sors ton carnet et note soigneusement ce que je vais te dire.

Il attendit patiemment que l'inspecteur fût prêt à recevoir la sagesse, puis il se mit à dicter.

— Écris : « Aujourd'hui, 11 juillet 1980, le chef a dit ouvre les guillemets : la pensée véritable et authentique est semblable à une graine; elle est semée dans la terre fertile du cerveau — un tiret — et bien évidemment rares sont les cerveaux fertiles. Pour qu'il y ait germination, il faut une culture *ad hoc*, des engrais intellectuels qui ne sont pas donnés à tout le monde, hélas!... »

— J'écris « hélas »?

— Si tu veux, écris tout, c'est important pour ton avenir. Je disais donc : « ... des engrais intellectuels, un certain doigté, une attention de tous les instants et l'irrigation par la morale, tout comme les plantes doivent être arrosées d'eau ». Tu me suis? Ce n'est pas trop ardu pour toi?

— Je te suis, chef. C'est un plaisir de t'écouter. Et alors? la pensée sort de ton cerveau au printemps et donne une fleur ou un cactus, peut-être bien un arbre? C'est ça?

— Referme ce carnet et fourre-toi le stylo quelque part, dit le chef avec une immense tristesse.

— Oui, chef, tout de suite. C'est quasiment impossible d'écrire dans ce clair-obscur.

— Surtout avec les ténèbres de ton esprit. Comme tu le faisais remarquer tout à l'heure, le bœuf tire la charrue — et moi, je te traîne comme un boulet.

— C'est cela, chef. Tu es mon bœuf. Que serais-je sans toi? Alors qu'est-ce que je fais? qu'est-ce que j'exécute? Il faut quand même penser à cette mission officielle. Le temps file comme un cheval de fer.

Le chef s'étala confortablement sur sa couche, ramassa un paquet de nippes et le plaça sous sa tête en guise d'oreiller.

— Je vais réfléchir, mûrement réfléchir en faisant une petite sieste. L'opération cérébrale s'effectuera toute seule dans ma tête, sans que tu n'en saches rien. Ne me dérange pas dans mes cogitations.

— Ça ne me viendrait pas à l'idée, crois-moi, protesta l'inspecteur. Je peux me rendormir alors?

— Si tu veux, mais ne ronfle pas. Cela risquerait de troubler mes pensées. Et sois prêt au moindre appel. Ne me réveille pas, à moins qu'un télégramme officiel ne m'appelle en haut lieu.

— D'accord, chef, répondit l'inspecteur, la langue déjà de plomb.

— Ce que je voudrais savoir, c'est ceci : es-tu avec moi, je veux dire pour l'ordre, la discipline et le devoir? ou bien serais-tu par hasard avec ces paysans galeux...

— Moi, moi?

— ...comme ton attitude de tout à l'heure me le laissait supposer? Laisse-moi finir, bon Dieu! Je comprends que tes origines modestes, très très modestes, te rapprochent d'eux, mais je voudrais savoir. Alors parle. Articule, exprime-toi clairement. Je ne supporterai plus que tu élucubres. Un de ces jours tu n'arriveras plus à t'en sortir des barbelés qui peuplent ton crâne. Et je ne serai plus là pour t'en tirer, même avec une charrue. Ne compte pas sur moi.

— C'est simple, chef : comme disent les Français, *« chacun pur lin et tous pure soie »*.

— Qu'est-ce que tu baragouines? Cela veut dire quoi, la soie et le lin?

— Les Américains d'Amérique disent : *« Pure newwoolmark extra garantee. »* Mais c'est la même chose, chef.

— Tu as décidé de m'empêcher de dormir?

— Oh non, chef, ne crois pas ça. Tu m'as posé une question et je te réponds clairement. Toi et moi, on est ensemble et toujours, comme disent les Français et les Américains. On est chacun pour l'un et tous pour soi. C'est facile, c'est très simple.

— *Tais-toi, taiseux!* dit le chef en français. *Laisse-moi dormir.*

— *Dakour, chif.*

L'instant d'après, comme par enchantement, il n'y avait plus que deux policiers ronflants, bouche ouverte et civilisation pétrifiée par le sommeil. La mission officielle pouvait attendre.

Assise sur le seuil de la grotte comme une ourse, Hajja poussa un soupir et dit à mi-voix :

— Ils se sont enfin endormis, ces fils de la plaine. Leurs paroles les ont vaincus.

— Je fais toujours les commissions? demanda Bourguine.

— Plus que jamais, répondit-elle. Et baisse la voix. Avec ces enfants de là-bas on ne sait jamais. Le moindre bruit les réveille comme des guerriers. Chuchote!

— Passe-moi ta commande, Hajja, murmura Bourguine.

Debout dans le soleil, crâne ras et pieds nus sur sa terre natale, vêtu d'une robe de paysan ceinte à la taille à l'aide d'une corde, il faisait voltiger un jeu de cartes d'une paume à l'autre, vélocement, en accordéon, en spirale, en jet d'eau, les rattrapait sur le dos de la main.

— Alors qu'est-ce que je prends, Hajja? Commande!

— De la viande, dit-elle aussitôt, sans la moindre hésitation. De la viande pour nous tous et pour nos hôtes. Et du couscous pour l'hospitalité. Il y a longtemps que nous grignotons la queue du diable. Mais, Bourguine, tu es sûr que tu y arriveras? Tu vas réussir? C'est vrai?

— T'occupe, Hajja. C'est mon affaire. Les cartes me connaissent. Elles glissent. Tu veux un as? Le voilà!

— Baisse ton rire et ta voix. Que la bénédiction de Dieu t'accompagne! Ajoute un peu de beurre, une livre. Une bonne livre, hein?

— Disons deux kilos, conclut Bourguine. Tu les auras. Du beurre bien jaune.

— C'est celui que je préfère! Que Dieu prolonge ta vie, mon fils. Et du miel, juste un petit pot, c'est si bon pour la vieille gourmande que je suis. Ça nourrit, ça fait circuler le sang.

— Bon, dit Bourguine en lançant les cartes et en les rattrapant derrière le dos. Je note tout dans ma tête : un mouton entier avec ses quatre gigots, un sac de couscous, deux ou trois kilos de beurre et une jarre de miel épais.

— Tais-toi, fils, tu me fais venir l'eau à la bouche.

— Et des légumes? tu en veux?

— Oh oui! j'oubliais les légumes, c'est essentiel. Des courgettes, des pois chiches, des poivrons, et quelques piments bien piquants, pas beaucoup. Prends aussi des épices pour que la nourriture soit bonne et que la langue s'attarde longtemps dans la bouche après que nous aurons mangé. De la « tête de magasin » surtout, c'est délicieux comme épice quand on la fait mijoter. De l'ail, des oignons. Tu peux vraiment avoir tout ça?

— Tout ça. Facilement. T'occupe.

— Alors c'est bien. Quand j'irai à La Mecque, peut-être avant ma mort, je ferai une prière spéciale pour toi. Ajoute des raisins secs.

— Un sac de raisins, dit Bourguine en faisant disparaître le jeu de cartes sous sa robe, comme par magie. Et du pain? tu as oublié le pain. Tu veux du lait? Commande, Hajja, ne te gêne pas. C'est l'abondance aujourd'hui.

— Dieu te protège et veille sur tes pas, mon petit! Est-ce... est-ce que...

— Vas-y, dis. Tu auras tout ce que tu voudras. Ce qu'il fallait au départ, c'était un petit capital. On n'a jamais rien sans capital. Y a un philosophe des glaces qui le disait, il s'appelait *Kalamass* *, je crois. Ne te gêne pas, Hajja. Dis ce que tu te souhaites. C'est cadeau pour toi.

— Du... du chocolat. Rien qu'une tablette. Ça me durera tout le restant de ma vie. Je suis gourmande, hein?

— Dix tablettes, disons vingt. Le chocolat ne pèse pas lourd.

— Que les cèdres de la montagne et les palmiers du désert te donnent leur santé et te communiquent leur vigueur d'arbres! Tu vas pouvoir transporter toutes ces victuailles à dos de

---

* Karl Marx.

mule?... Mais... mais je ne vois pas cette bête! Tu ne l'as pas encore attelée?

— Pas besoin de mule, Hajja. Il y a la voiture de ces deux-là. Elle est en train de chômer sur la place du village, haha!

— Baisse la voix et cesse de ricaner. Et comment vas-tu la mettre en marche? Ce n'est pas un âne, tu ne peux pas la frapper à coups de bâton et lui dire : « Rrrra! hue! » C'est du fer, il faut une clef.

— Pas besoin de clef, Hajja. J'ai ça. Avec ce bout de fil de fer, je ferais décoller un avion vers le septième ciel.

— Mais elle va gronder de sa voix de fer et réveiller ses maîtres?

— Non, oh non! Elle ne fera rien de tout cela. La montagne est en haut et la plaine est en bas. Cette voiture descendra donc sans bruit et sans moteur, en roue libre. Le retour, tu dis? Bien sûr, le sentier grimpe comme un chien, mais j'ai tout prévu : la mule sera là, avec une grande corde pour tirer. Elle est solide, c'est une mule.

— Alors c'est bien. Je te bénis. Et avec qui tu vas jouer aux cartes et peut-être gagner?

— Je vais sûrement gagner, ne te fais aucun souci. Les cartes glissent entre mes mains comme du savon. Tu te rappelles Saïd, Hajja? le gars qui avait une des maisons du village? Il est devenu *Moul Bousta* *, maître de la poste quelque part en bas, dans les hauts plateaux. Il y a cinq ou six ans, c'était un paysan comme nous autres. Maintenant il est riche et ne connaît plus personne. Mais il aime bien le poker. Ah! petite mère, ce que je vais le tondre! Je vais lui raser la peau des pieds à la tête, haha!

— Ne ris pas. Ce n'est pas bien ce que tu fais.

— Ah oui? Combien as-tu piqué au gros dans son porte-feuille?

* Receveur des PTT.

— Je ne sais pas, Bourguine. Je ne sais pas lire. Ce billet de banque m'a semblé très joli. On dirait une illustration des légendes du roi Salomon. Tâche de le rapporter intact — ou son pareil.

— Donne. Il fera des petits, plus gros et plus joufflus. « Kalamass » avait raison quand il disait que dans la vie il fallait un capital. Les Rousses, c'étaient des paysans comme nous autres, des esclaves. Et maintenant ils ont l'*atomique tomatique*. La *baraka*.

— Alors que Dieu t'accompagne. Mais rapporte ce billet ou son pareil pour que je le remette dans le portefeuille. Comme ça, personne n'en saura rien. Et puis, nous sommes des gens de bien et d'honneur. Je ne voudrais pas que quiconque me traite de voleuse, ce n'est pas vrai.

— Qui a dit une chose pareille, Hajja? Tu as juste fait un petit emprunt et vas le rembourser ce soir même, avec des intérêts : un de ces dîners comme nous n'en avons pas vu depuis des années. Penses-y, Hajja. Pense au miel et au chocolat!

Il s'éloigna vers le soleil, faisant voltiger les cartes comme un arc-en-ciel.

Assis au milieu de l'enclos, sur une pierre plate, entre les deux moutons assoiffés et l'âne immobile, Raho contemplait le soleil couchant. Toute chose en était issue, toute chose y était incluse. C'était le soleil qui faisait germer les plantes, et c'était lui qui les desséchait et les faisait mourir. Quand un homme avait passé presque toute son existence entre la terre et le soleil, il ne pouvait qu'accepter la vie. La terre était nue, sans eau, stérile depuis des générations; et le soleil souverain. A quoi bon lutter, entreprendre, construire un abri — se protéger? et contre quoi? La chaleur était une force, le dénuement était un don. Tant de choses, tant de choses étaient inutiles en ce monde, que les hommes avaient hissées et transformées en civilisation, achetant les ténèbres au prix de la lumière. Cet Islam qui était parvenu jusqu'à lui, Raho, n'était-il pas né là-bas dans le temps, tout là-bas dans un désert aride, entre le sable et le soleil — et rien d'autre? Comme l'Islam et sa destinée, on sortait nu du ventre de sa mère et on retournait aussi nu dans les entrailles de la mère nourricière, la terre. La peau en était témoin!

Les rayons du soleil brasillant à l'horizon teintaient le visage du vieil homme de cuivre et d'étain, puis ses bras, ses jambes, tout son corps, tandis qu'il se déshabillait et lançait au loin ce qui, durant toute une journée, l'avait couvert aux autres et à lui-même. S'accroupissant, il projeta ses mains en avant, les ramena vers lui comme si elles étaient chargées d'une gerbe de blé mûr et doré et, par brassées, il se mit à se laver avec la lumière du soleil couchant.

Toute religion, venue d'Orient ou d'Occident ou d'ailleurs, ne lui avait apporté rien d'autre que la pensée. Et lui, Raho, était né sans pensée et mourrait sans pensée. C'était si simple de vivre. Lentement, il s'aspergea la figure avec une coulée de rayons rouges, se frotta les mains, trois fois. Et puis, il se prosterna face à l'astre qui était en train de mourir.

Cette journée du monde qui était en train de s'achever, qu'avait-elle été en définitive? Pour d'autres hommes qui habitaient en d'autres montagnes proches ou lointaines, dans les plaines, sur terre ou sur l'eau, elle avait été ce qu'elle avait pu être. Raho n'en savait rien, n'en avait nulle connaissance, si minime qu'elle fût. C'était la leur, leur *destinée*. Lui, Raho, avait eu sa journée : une nouvelle offrande du soleil.

Pour le village, pour la communauté dont près de la moitié des membres étaient de sa descendance, ce jour de la vie avait vu l'intrusion de deux étrangers livrés à eux-mêmes, aussi malheureux et agressifs que les conquérants de toute race ou religion qui avaient déferlé sur le pays au cours de l'Histoire. Avaient-ils, à eux tous, supprimé le soleil pour autant? Le front de l'homme de la montagne se plissa soudain, toutes ses rides refluèrent lentement vers sa bouche — et Raho se mit à rire sans aucun bruit, comme un loup, à la seule évocation de la figure légendaire du commandant Filagare.

4

— Oui, dit Hajja, le commandant Filagare était un paysan comme nous, oui, oui, oui!

Et puis, elle éclata de rire. Avec elle, tous les membres de la famille se mirent à rire de proche en loin, jusqu'au sommet de la montagne.

Tous réjouis face au festin fumant, tous accroupis sur les talons — à l'exception du chef de police qui s'était installé d'autorité sur une vieille caisse, pour présider le repas sans doute, et de Hajja dont les jambes étaient étendues droit devant elle comme de toute éternité —, les Aït Yafelman plongeaient généreusement les doigts dans le plat, disaient d'une voix chargée d'émotion et de gratitude : « Au nom du Seigneur! », et formaient une boule de couscous, légumes compris, qui allait de la taille d'un œuf de pigeon aux dimensions d'un melon suivant l'âge ou la faim du consommateur. Quant à la viande, cette chose délicieuse dont on avait perdu la mémoire et qu'on appelait « le malheureux », « la victime », *« Ould Brahim* * »,* une main joyeuse en déterrait une éclanche des profondeurs du plat, la tendait vers le frère d'en face : comme dans le jeu enfantin de la corde que l'on pratique encore dans les écoles d'Occident pour développer les biceps et la volonté, au cours de gymnastique, on tirait chacun vers soi, de toutes

* « Fils d'Abraham. »

63

ses forces, et on avait ainsi en peu de temps deux morceaux de viande, sans fourchette ni le moindre couteau. Il y avait cinq ou six plats, répartis depuis la grotte familiale jusqu'aux hauteurs de la montagne, là où se dressaient comme des vigies les cèdres et les jujubiers, de ces plateaux taillés et creusés avec patience dans le bois coriace de l'arganier. Autour de chaque plat, il y avait cinq à sept convives. Et, de place en place, brûlaient des torches de résineux, fichées en terre tels des sapins de Noël illuminés. Ceux qui étaient dans l'ombre n'en étaient pas gênés pour autant : ils connaissaient instinctivement le chemin qui menait vers leur bouche. Et puis, c'était la même nourriture, groupant la même famille. Ombre ou lumière, il n'y avait aucune différence sociale ou politique.

Venant de toutes parts, plusieurs voix se faisaient entendre presque simultanément, les unes enchaînées aux autres :

— Merci, Hajja, pour-ce-festin-de-caïd! Oh, merci!

— Hajja, disait Bourguine en piochant dans le plat, doigts bien écartés. J'ai replacé l'image des légendes de Salomon là où elle était, entre les deux morceaux de cuir. Et la mule a bien hissé la machine en tôle que tu sais. Elle se nourrit de ciel et de vent, ma parole!

— La *baraka* est montée tout soudain chez nous, hé? lançait une voix de femme haut perchée. C'est bon, la vie. Hier c'était le zéro.

— *It was a long time,* disait le long jeune homme à lunettes, celui qu'on surnommait le Savant, alias le Dictionnaire. Son accent était du plus pur Oxford et les mots tombaient de ses dents comme autant de menus débris de nourriture — quelque chose comme : *It weuz eu lonnnn teuïm* *!

— *I cause angliche, chif,* dit l'inspecteur, la bouche pleine. Il déglutit violemment et ajouta : *Ci t'un suspect?*

---

* Je ne saurais garantir l'authenticité de l'accent, ne sachant pas un mot d'anglais.

— *Plutôt,* répondit le chef. *M'a l'air d'un insectuel.*

— On en garde pour demain et pour l'hiver, Hajja, ou bien on fait comme si Allah nous avait comblés de ses dons?

— Mâche, suppliait une mère. Tu vas t'étrangler. Mâche, mastique. Tu as le temps, la nourriture ne va pas se sauver à toutes jambes.

— C'est ce que je dis depuis que je suis né : quand Hajja met la main à la pâte, c'est un délice de ce paradis dont parle le Coran.

— Que Dieu prolonge ta vie, Hajja! Tu es notre subsistance.

— Hajja, eh, Hajja! répétait Basfao comme un écho du temps. J'ai quelque chose de très, très important à te dire.

Assise au centre de ces voix, Hajja les écoutait toutes, comme si elle eût eu une douzaine de paires d'oreilles, enregistrait chaque mot, même ceux qui n'étaient pas de la tribu et qui ne voulaient rien dire par conséquent. Calmement, mais sur des registres divers, elle se mit à répondre par ordre de priorité — d'abord à Basfao, puis à l'homme qui s'inquiétait du lendemain de misère, puis au Savant :

— Mange et sois en paix! Il n'y a rien de plus important à cette heure que d'être en paix avec son ventre!

— Et toi, là-bas, rattrape le temps perdu si tu le désires, mais ne va pas en crever demain à force de te gaver. Patiente avec ton âme!

— Et toi, le paysan à lunettes, un de ces jours ta langue va se retourner dans ta bouche, à force de te moquer des mots du bon Dieu!

— Mais qu'est-ce que j'ai dit? protesta le Savant. J'ai dit qu'il y avait longtemps que...

— Mais tu as tordu les mots! le coupa-t-elle.

— C'est de l'anglais. C'est quand j'étais portier dans cet hôtel de la capitale, chienne de ma vie! Il fallait bien que je comprenne ce que me disaient ces milliardaires en me lançant un pourboire! *« Hey, boy!* qu'ils lançaient, *taxi! Get a move on!* » Et, quand le taxi arrivait sur les chapeaux de roues, ils disaient : « *It was a long time!* », c'est-à-dire : « Y a long-temps qu'on crève la dalle », dans la langue de chez nous. Même qu'ils ajoutaient à l'adresse du chauffeur : « *To the air-port! hurry up!* » Le chauffeur ne comprenait rien, forcé-ment. Alors je lui traduisais : « Ils veulent aller bouffer sur le *port*. T'as pas un cousin qui tient une gargotte dans la médina? Allez, démarre, en vitesse! Et file-moi la pièce! » On m'a chassé de cet hôtel, je ne comprends pas pourquoi. Peut-être bien que je favorisais les gars de la médina?... Hein, qu'est-ce que t'en penses?

Mais Hajja ne l'écoutait plus. Il était ainsi : les gens de la plaine et d'ailleurs lui avaient déformé le langage, tout comme ils lui avaient gâté la vue. Deux ronds de verre pour recon-naître les siens! Une montre au poignet pour contrôler ce qui était évident pour n'importe quel paysan : la position du soleil dans le ciel! Allons, allons, il n'y avait pas si longtemps qu'il était revenu au pays. La montagne avait autant de patience que de roc...

Creusant au fond du plat, Hajja en extraya les morceaux de choix — les testicules du mouton — et les présenta à ses hôtes, les mains tendues en offrande, une glande sur chaque main :

— Tenez, mes fils! prenez, prenez! Vous êtes chez vous ici. Les meilleurs morceaux, c'est pour vous deux.

L'inspecteur Ali prit le testicule sans la moindre hésitation.

— Par Allah! s'écria-t-il, la face réjouie. C'est ce que je pré-fère. La Providence a bien fait de me conduire jusqu'ici.

Et il se mit à travailler des mâchoires, le jus hormonal cou-lait le long de ses commissures mais il le rattrapait vite d'une langue rose et agile : c'était un nectar. Ses yeux étaient incen-diés. Le regardant manger comme un arriéré gouverné par ses instincts primitifs, le chef de police ne pouvait s'empêcher d'élargir sa pensée aux dimensions du Tiers Monde. On avait chassé le shah d'Iran par obscurantisme et parce que l'évolution qu'il préconisait pour son pays s'adressait à ces sauvages de Perses! Qui pouvait en douter? la télévision d'État le proclamait clairement, la presse gouvernementale. L'État ne pouvait pas se tromper dans ses jugements, quand même! Considérant tristement cette chose molle et dégoulinante qu'il tenait entre le pouce et l'index, tel un rat noyé, il évoquait à toute vitesse les bonnes choses de la vie — et la vie était maturité, responsabilité, progrès. Lui, chef, de quoi se nourrissait-il autrefois, en des temps obscurs? de soupe et de couscous. Et à présent, hein? hein? A présent qu'il était un chef évolué digne de ce nom, il disposait d'une nourriture évoluée, civilisée, à la cantine de la brigade : des panés entourés de bonne chapelure, des conserves venues de pays hautement industrialisés, du pain bien blanc. Dans les restaurants de la ville européenne où il prenait souvent ses repas en compagnie d'autres chefs, il se sentait en plein XXIᵉ siècle par rapport à ses concitoyens : une nappe sur la table, des couverts en bonne et due forme, un garçon aux épaulettes de maréchal, un verre de whisky bien givré et le cigare avec sa bague d'origine, dont il tirait des bouffées comme Churchill. Le respect, la promotion sociale, la souveraineté nationale. C'était bien simple : la clientèle était à sa mesure, distinguée, d'élite, des touristes puissants qui réglaient leur note sans payer, rien qu'avec une carte de crédit. Et lui aussi tendait négligemment l'une de ces cartes : American Express, Visa, Interbank...

— Merci, monsieur, disait le garçon poliment. *Thank you, Sir! Danke schön!...* dans toutes les langues des devises fortes.

— Je peux le manger, dit l'inspecteur. Donne si tu n'as plus faim.

— Non, non, dit précipitamment Hajja. Tu as eu ta part, tu es trop gourmand. Ne sois pas si égoïste! C'est ton camarade, voyons!

Elle se tourna vers le camarade :

— Ne te laisse pas faire, mon fils. C'est le seul testicule qui reste. Il est à toi. Mange pendant qu'il est chaud. Tu veux du cumin?

Avec un sursaut de dégoût, suivi aussitôt d'un sursaut de conscience professionnelle, le chef de police se mit à grignoter la chose tiédasse et sexuelle. Il pensait à sa mission officielle. Il fallait la mener à son terme et, pour ce faire, déguiser ses sentiments authentiques, son univers intime et personnel. N'était-il pas déjà dans la place, vêtu d'une djellaba crasseuse comme l'un de ces arriérés fondamentaux, avec sur les genoux un vieux sac en guise de serviette de table? Le devoir avant tout. L'État.

— Oui, reprit Hajja comme si ces préliminaires oraux n'avaient constitué qu'un hors-d'œuvre de son discours, le commandant Filagare était un paysan comme nous. Il n'était rien d'autre qu'un homme de la montagne. Vieux déjà, je crois bien. Il ne lui était jamais rien arrivé avant ce jour-là.

— Quel jour, Hajja? demandèrent plusieurs voix. Raconte!

Du plat de ses deux mains, elle chassa ces paroles intempestives comme autant de moustiques harcelants dans la nuit.

— Non, non! dit-elle, véhémente. Pas vous! Je vous ai raconté cette histoire mille et mille fois. Pas vous! Dégagez les oreilles de nos invités, vous les empêchez d'entendre.

— Quel jour? demanda l'inspecteur en préparant une bonne boulette de couscous.

— Quel commandant? ajouta le chef de police. Il mâchouillait le dernier détritus du mouton, sa face était parcourue de frissons.

— Ah! voilà, dit Hajja d'une voix rieuse. Il n'était pas commandant auparavant, c'était juste un paysan comme nous. Il n'avait pas d'histoire, ni derrière lui ni devant lui. Ni passé ni avenir. Il était calme et heureux. Tu veux un piment fort?

— Quoi? fit le chef, surpris par cette question inattendue.

— Ça calme le ventre, répondit Hajja. (Elle le regardait au

fond des yeux.) Ça creuse à l'intérieur, ça déblaie, ça donne de la place pour le reste du repas.

— Non, non. Merci.

— J'en veux, moi, dit l'inspecteur.

— Non, non, répliqua-t-elle. Pas toi, mon fils. Tu manges sans difficulté. Et alors, un jour il est descendu dans le pays voisin, deux poules attachées patte à patte et un panier d'œufs au bras.

— Quel pays? demanda le chef.

— Là-bas, de l'autre côté de la montagne.

— L'Algérie?

— C'est ça, le pays des Algériens. On les appelle comme ça, mais ce n'est pas juste. Ce sont des Berbères comme nous, des frères.

— Ah? fit le chef. Ah bon!

— Oui, n'est-ce pas? Il allait au marché, c'était un jour de printemps, dans une petite ville du pays des Algériens. Oh! pas bien loin, une demi-journée de marche. Il y avait des œufs en ce temps-là, et même des poules. Alors le vieux allait les vendre à ceux qui n'en avaient pas et il rapportait ce qui manquait aux siens : de la farine ou du thé par exemple. Ces Algériens et les Berbères d'ici se rendaient service.

— Ah? répéta le chef.

— Oui. Ce jour-là, il ne savait pas ce qui l'attendait. Il était parti le matin à l'aube et il devait rentrer le soir, tout juste une journée de temps. Quel est ton nom, fils?

— Moi? fit le chef. Oh, je suis un homme de la ville.

— Ce vieux paysan ne savait pas que Dieu était en colère de l'autre côté de la montagne, dans le pays des Algériens. Il y avait la guerre. Comment Dieu t'a-t-il nommé, fils?

— Hein? Oh, je suis un fils de la ville. Je travaille là-bas pour le pays, pour nous tous. Il est bon, ce couscous, tu sais.

— Il connaissait bien le chemin, reprit Hajja en souriant. (Elle observait le chef. Ce qui retenait son attention, c'était surtout le regard étonnamment rusé de ses yeux : il expliquait, lui semblait-il, les détours tortueux de sa langue.) Il y avait des années qu'il suivait ce même sentier, une fois par semaine environ. Il en connaissait chaque pierre, chaque trou. Tu sais comment marchent les gens de chez nous? les yeux à la fois fixés sur le ciel et sur la terre, à droite comme à gauche, et même derrière eux. Tu as bien un nom que ta mère t'a donné en naissant?

— Hein? dit le chef, désarçonné. Le nom que ma mère... Mohammed.

— Je ne le savais pas, s'écria l'inspecteur. Première nouvelle.

Une main sur la joue, un sourire paisible illuminant son visage, Hajja dit :

— Comme le Prophète?

— Oui, répondit le chef. Oui, c'est ça. Comme notre Prophète à tous.

L'inspecteur laissa tomber d'une voix d'enfant :

— Chef Mohammed! Et je n'en savais rien! Chef Mohammed!

— Alors, tu es un homme de paix, conclut Hajja, de parole et d'honneur. Je suis bien contente, ce jour est béni entre tous : un homme de bien comme le calife Ali des temps anciens et un homme d'honneur comme le Prophète! Il y a des gens au cœur blanc dans la plaine, ma foi. Amène le tagine, Bourguine! Et les pastèques!

— Tout de suite, Hajja, dit Bourguine à la cantonade.

— C'est la *baraka,* s'exclama l'inspecteur. Un tagine à quoi, Hajja? Dis-le-moi tout de suite afin que je me réjouisse.

— Du mouton aux olives et aux dattes. Avec du gingembre. *Skenjbir.*

— Hajja! Oh, Hajja! dit l'inspecteur, les larmes aux yeux. Je n'en ai jamais mangé de ma vie, mais j'en ai entendu parler.

Il se mit à genoux et lui embrassa les mains.

— Relève-toi, mon fils, et mange. (Elle ne quittait pas des

yeux le chef.) Tu m'empêches de raconter l'histoire du commandant Filagare. Et elle est longue, bien longue. Tu vois ces torches qui brûlent autour de nous? Eh bien, elles seront consumées jusqu'à la base et l'histoire de Filagare se poursuivra encore, jusqu'au fond de la nuit...

Le paysan cheminait tranquillement, sans souci. Il venait de vendre les deux poules et les œufs. Dans la poche de sa djellaba tintaient des pièces de monnaie, toute une poignée. Il était pieds nus — mais il avait mis son turban, comme chaque fois qu'il se rendait au pays voisin, près de la gare, là où il pouvait s'accroupir sur le trottoir, entre les jambes des passants. Il n'avait pas attendu longtemps : à peine une couple d'heures pour vendre les volailles dans une discussion joyeuse et obstinée sur la récolte, le pays, la famille et la cherté des prix, celui des poules notamment; quant aux œufs, il les avait vendus lentement, un à un ou presque, mais il avait pris soin de s'installer dans un coin frais et aéré — et ainsi la chaleur ne les avait pas gâtés.

A mi-chemin de la gare et du sentier de montagne, sur une petite route goudronnée où le paysan traînait les pieds et surveillait les nuages, brusquement une jeep freina derrière lui dans un crissement de pneus et d'acier. Deux soldats en treillis couleur de feuilles d'automne en descendirent, l'arme à la bretelle.

— Hé, là-bas!

L'homme s'était arrêté, mais il ne se retourna pas. Il attendait.

— Papiers!

C'était la fin de l'après-midi, quelques nuées grises s'amoncelaient à l'est, mais là-bas, du côté de la montagne natale, l'horizon était clair. Il n'y avait donc pas de danger. Il ne comprenait pas bien ce que ces hommes de guerre attendaient de lui, mais tout allait s'arranger. Il était descendu du djebel, il avait vendu sa marchandise et il rentrait chez lui, voilà tout. Ces soldats allaient sûrement le laisser en paix. C'est pourquoi il se retourna calmement, les regarda sans peur ni affront et leur montra les paumes de ses mains tendues, comme des preuves de sa bonne volonté.

— D'où tu viens, toi? demanda le petit trapu qui semblait commander l'autre, puisque c'était lui qui avait l'air le plus mauvais.

— Hé? dit le paysan, bouche bée.

— Tu es sourd ou quoi? d'où tu sors?

— Hé? répéta le vieux.

Et il sourit d'un air entendu. Il se tapotait l'oreille de l'index pour bien leur montrer qu'il ne comprenait pas un mot de français.

— *Mnin tji?* hurla l'autre dans un arabe de caserne. D'où tu viens?

— Ha! répondit le montagnard, soulagé. *Nji filagare**.

A la seconde même où il prononçait ces mots simples et évidents, l'horreur de la guerre tomba sur lui avec violence. Et, longtemps plus tard, quand il eut repris connaissance, il se retrouva à l'arrière de la jeep qui filait à toute vitesse, ficelé avec son propre turban. Roué de coups, ensanglanté.

Plus tard encore, d'autres soldats dans une cave, d'autres coups, de crosse, de nerf de bœuf, de poing, de bottes, la lumière plus aveuglante que n'importe quel soleil d'août, des voix barbares qui étaient autant de cris et d'incompréhensions, des souffrances inutiles et sans nombre.

— C'est un *fellagha!* Il avoue, le salaud!

— Où sont les caches? Tu vas parler, oui?

— Où sont les autres salauds de fellaghas?

---

* « Je viens de la gare. »

— *Nji filagare!* disait le paysan. *Missié... mon-z-ami, nji filagare.*

Durant toute la nuit, le long de toutes ces heures jusqu'à l'aube, il ne cessa de répéter la vérité de Dieu mais pas des hommes : « *Nji filagare!* » Il venait de la gare, il y était allé, il y avait vendu les poules à un frère, il ne savait pas comment il s'appelait mais c'était sûrement un frère... Les œufs? oh! ah oui! à plusieurs autres frères qui parlaient le berbère ou l'arabe comme lui... Il n'avait fait de mal à personne, il était fatigué et maintenant le chemin était loin qui le conduirait à sa montagne d'où il n'aurait jamais dû bouger s'il avait su lire son destin dans le ciel, mais le ciel était clair à l'ouest... Et comment, comment, comment retrouver le sentier familier?...

Et puis ce fut la paix. La paix entra au petit matin avec un gradé, et il y eut le silence. Il y eut la fin des souffrances et des incompréhensions, miraculeuse et digne de Dieu. L'officier s'était arrêté, lui parlait dans sa langue. Il la parlait presque sans accent, il la comprenait de surcroît, tout allait rentrer dans l'ordre : les lézards dans leurs trous, ces soldats dans leur guerre et lui, le montagnard, il allait regagner sa montagne où il ne se passait jamais rien sinon les événements de la nature. Tout était redevenu simple et élémentaire dans sa langue, témoin ce Français supérieur qui l'écoutait en hochant la tête. Oui, monsieur, il venait de la gare,« *filagare* ». « Fellagha? » Qui ça, lui? Oh non, par Allah et le Prophète et le de Gaulle des chrétiens, il n'était pas un fellagha, monsieur. C'était une simple erreur humaine, une « bavure », comme l'expliqua l'officier à ses hommes, le regard fuyant.

On ne lui présenta pas d'excuses. Personne n'en eut le courage — ni la honte. Mais on le laissa volontiers ramasser ses pièces de monnaie, à quatre pattes, jusque sous cette table de torture où il avait subi tant d'épreuves. C'était juste du nickel ou un semblant d'argent, rien d'autre que du métal froid comme le cœur des hommes quand leur tête devient celle d'un chien, mais cela représentait bel et bien le prix de la farine et d'autres denrées qu'il fallait acheter en cours de route pour les siens. Il sortit à reculons, les mains sur les reins. Il quitta la cave lentement, avec une lenteur extrême, comme s'il avait tout son temps pour photographier de ses yeux sans expression chaque trait de chacun de ces êtres humains qui venaient de le déshumaniser.

Sept jours et sept nuits durant, il dormit dans une caverne. Sans manger et sans boire. Tel un ours en hibernation. Absent aux autres et à lui-même. Les emplâtres de feuilles, de racines pilées et de certaine terre argileuse que lui avait confectionnés sa femme faisaient leur œuvre, jour après jour, sur ses ongles, sur ses pieds, sa nuque, son ventre tavelé de brûlures de cigarettes. Mais c'était à l'intérieur de sa tête qu'un sillon s'était creusé, très profond. Et dans ce sillon il poussait, de plus en plus vivace, un chardon vénéneux, un sentiment d'autant plus violent qu'il lui était totalement inconnu jusqu'alors : la vengeance. Et les racines de ce chardon étaient la haine, la cruauté, le désir de donner la mort. Une graine avait suffi — un mot boiteux — pour transformer un simple paysan, né bon et resté bon jusqu'à l'approche de la vieillesse, en ce qu'il devint dans les semaines et les mois qui suivirent : le commandant Filagare.

Il n'avait pas de troupe, pas un seul homme. Même les combattants du FLN crurent pendant longtemps qu'il circulait de nuit un tigre assoiffé de sang, des djebels aux oueds. Et quand ils surent son histoire par le téléphone arabe, ils lui donnèrent son surnom, commandant Filagare, le laissèrent tranquillement mener sa guerre, solitaire et dans l'ombre. Ce fut pour eux un allié sans merci, un franc-tireur sans moyen de locomotion sinon son âne, miséreux et amorphe comme lui, sans intendance, logistique ni armes : un simple couteau à manche de corne qu'il fichait dans la terre nourricière après usage. Il n'éprouvait aucun plaisir à tuer, mais il tuait. Il lui fallait *refroidir* son cœur pour redevenir le fils de la montagne qu'il avait été jadis.

Tous les sentiers, toutes les ravines, tous les buissons lui étaient familiers depuis l'enfance. Une trace de pas, une branche cassée, l'odeur de l'air, la couleur du ciel, chaque pierre étaient autant d'éléments de son monde. Il les connaissait et ils le connaissaient aussi, de longue date. Le moindre changement avait une signification de vie ou de mort. Il avait la ténacité d'un roc, la patience de l'éternité. Toute la journée assis et immobile, vieux comme ce vieux mur auquel il s'adossait, ou bien à l'ombre de son âne aussi végétatif que son maître, qui pouvait prendre en considération ce vieillard décrépit? Passaient les convois, défilaient les chars dans des rugissements d'acier, rien ne semblait interrompre son sommeil léthargique. On le bousculait, on le secouait :

— Allez, dégage!

On lui jetait des pierres.

— File! dégage! va-t'en! *fissa!*

Sans se presser, avec un sourire franchement idiot, il ramassait sous lui ses pieds nus et crasseux et allait dormir un peu plus loin. Et l'âne le suivait en se battant les flancs. Oh! il était bien serviable à l'occasion, il renseignait très volontiers les hommes de guerre, il pouvait tout faire pourvu qu'on le laissât en paix.

— T'as vu des « fellouzes »?

— Aha?

— Des Arabes? des fellaghas?

— Ha! faisait le paysan d'un air entendu.

Et il étendait lentement le bras, indiquait un point à l'horizon, là où il savait de science certaine que le FLN avait tendu une embuscade. Il lui arriva même de servir de guide, avec une face de traître, conduisit toute une brigade vers son destin : des *mechtas* abandonnées où les soldats arrivèrent à la tombée du jour et où ils passèrent la nuit dans l'attente de l'ennemi. Ils avaient tout prévu, sauf les puces qui ne leur laissèrent aucun répit. A l'aube, peu d'entre eux étaient en état de combattre. Quant au commandant Filagare, la nuit l'avait englouti — et un âne ressemblait à un autre âne, comme un frère. Comment faire une guerre moderne dans ce pays, à moins de tuer tous les bourricots et de raser les montagnes?

Le couteau du commandant ne jetait aucune lueur dans les ténèbres : il était rouillé. C'était un bivouac, avec une sentinelle qui montait la garde. Et puis, quand on venait la relever, il n'y avait qu'un cadavre, égorgé d'une oreille à l'autre. Un seul mort par nuit, une seule vengeance, se disait le commandant. C'était suffisant. Il y avait bien trois cent soixante jours en une année. Peut-être davantage selon les ans. Quand se levait le jour, il y avait quelque part entre la montagne et les hauts plateaux un vieux paysan qui dormait, bouche ouverte, et, un peu plus loin, un âne sans âge qui ne faisait rien. Il lui arrivait d'agiter la queue pour chasser les mouches, mais c'était tout. Il vous regardait passer de ses gros yeux frangés de longs cils, avec une commisération extrême, comme si vous n'aviez pas la moindre importance dans son règne animal. Et là-bas, là-bas et partout, épars et semblables à des petits tas de pierres, d'autres paysans désœuvrés et démunis dormaient, eux aussi, identiques dans leurs djellabas couleur de terre, dans leur vieillesse et leur sommeil pétrifié. D'autres solipèdes étaient là, debout, immobiles, chômeurs à tout, comme autant de témoins de la léthargie de tout un peuple. Et, de l'horizon à l'horizon, une terre stérile et hostile où tout était étranger, à la langue, aux mœurs, au temps — au XXe siècle.

Si le commandant Filagare se nourrissait de quelque chose? Sans doute. De mûres et de baies cueillies dans les buissons, des restes mendiés dans les garnisons, de poubelles fouillées à l'aube, de racines qu'il mâchonnait longuement avec ce qu'il lui restait de dents. L'appétit n'était pas bien aigu, mais c'était l'âge. Il fallait si peu pour continuer de vivre! Et puis, Allah était le plus grand. Il ne laissait jamais ses créatures dans le besoin, témoin cet « âne de la nuit » (comme l'appelait son maître parce que cet animal ne dormait jamais la nuit) qui broutait n'importe quoi, même les tracts semés à tous vents par les hélicoptères et qui invitaient les fellaghas à « ranger leurs couteaux dans les vestiaires avant de s'asseoir à la table des négociations ». Oui, assurément, Allah pourvoyait à la subsistance des hommes et des animaux, vînt-elle du ciel ou de la terre. Louange à Lui! Il était clément et miséricordieux. Il donnait la vie, Il avait ajouté la vie de Filagare à la vie du monde. La mort n'était rien d'autre que le fait des hommes. C'étaient eux qui se détruisaient, tout comme ils donnaient la mort à leurs semblables et à la terre entière, et même aux récoltes de blé ou d'orge flambant au napalm sous le soleil de Dieu.

Le regard du commandant Filagare portait très loin, aussi vif que celui d'un épervier. Du matin au soir, assis et décrépit, il photographiait êtres et choses de ses yeux sans pensée, lentement, patiemment, comme s'il eût disposé de l'un de ces antiques appareils à soufflet et trépied. Il avait le temps, toute une journée. Il prenait des clichés qui embrassaient l'ensemble du paysage. Il se concentrait ensuite, très progressivement, sur les faits et gestes d'un seul homme : celui-là était le plus mauvais, il allait devenir sa proie dès le coucher du soleil. C'était écrit! *mektoub!* Le commandant Filagare n'y pouvait rien, c'était le Destin. Il lançait un ordre bref, tandis que le dernier rayon incendiait le ciel :

— Rrrra!

Et l'« âne de la nuit » se mettait en mouvement, paisiblement, allait accomplir sa tâche militaire connue de lui seul, se glisser dans les fourrés, faire rouler les pierres, frapper des quatre sabots comme un démon de l'enfer, attirer sur lui l'attention, la peur et les balles (mais il courait comme un damné et avait la *baraka* d'Allah) — cependant qu'une ombre glissait dans l'ombre et atteignait sa proie. Aussitôt après, le commandant Filagare se terrait dans un trou, repéré d'avance.

A chaque mort d'homme, il sentait que son cœur refroidissait un peu, telle une chaudière manquant progressivement de combustible. Et cela était ainsi : il pleurait. Au fil des semaines et des mois et des meurtres, il pleura plus fort, plus souvent. On l'entendait de loin, on venait le consoler : peut-être avait-il perdu ses enfants à la guerre et à présent il n'était qu'un vieil orphelin? Dis-moi, grand-père, ils ont brûlé ton gourbi, incendié ta maigre récolte, égorgé ton bouc et tes chèvres dans leur folie? On entonnait le Cantique des Morts pour le soulager, pour lui rappeler islamiquement la place infinitésimale de l'homme sur cette terre : « *Misère est notre misère et périssables sont nos corps. Et seule subsistera la face sublime de Dieu!* » Filagare ne disait pas un mot, n'entendait rien ni personne. Les épaules secouées convulsivement, il sanglotait à perdre haleine...

— Oui, dit Hajja en s'adressant au chef de police avec un sourire candide. Il pleurait, à son âge, comme un enfant ou une femme. Tu as déjà vu pleurer ton père?

— Qui, moi? répondit-il, décontenancé. (Il s'essuya précipitamment la bouche avec le sac de jute qui lui tenait lieu de serviette de table.) Non, je ne crois pas... Je ne m'en souviens pas.

— Aha! dit Hajja.

Elle se mit à découper une pastèque en tranches à l'aide d'un couteau à manche de corne. Dans sa vieille tête habituée au déroulement des saisons et au défilé des années, elle évoquait des figues. On les cueillait mûres à point, on les faisait sécher au soleil, on les enfilait sur un bout de chanvre ou de *doum,* une à une, au fur et à mesure qu'elles arrivaient à siccité et on obtenait ainsi tout un chapelet de figues, plusieurs même quand le figuier était encore en vie, là, bien dru, face à la caverne. Le pauvre était mort à présent, le sirocco avait dispersé ses cendres — ou ce qu'il en était resté. Mais Hajja se souvenait parfaitement des figues sèches, tandis que des petits faits glanés tout au long de la soirée s'ordonnaient dans sa tête, certains mûrs déjà, d'autres encore mous et sans signification précise, de menus détails sans importance qu'incidemment, le plus naturellement du monde, elle avait cueillis de la bouche du chef, en un interrogatoire inoffensif dont pas un instant il ne s'était rendu compte. Elle savait à présent qui il était, son nom patronymique, ce que faisait son père, les méandres de sa famille, l'essence de bois de son bureau, le village où il était né, la grande ville où il travaillait, et pourquoi et comment, la nourriture dont il se sustentait, ses souvenirs et ses pensées qu'elle avait eu tant de peine à extraire... toute une vie qu'elle avait reconstituée par de petites questions anodines dont elle avait émaillé ses propos au détour d'une phrase, tandis qu'elle racontait la légende du commandant Filagare, captivant toute attention.

Tendant au chef de police une tranche de pastèque, elle dit :

— Tiens! prends, mon fils!

— Mais pourquoi il pleurait, cet homme? demanda-t-il.

— Je ne sais pas, répondit-elle.

— Peut-être qu'il pleurait de chagrin? lança l'inspecteur. De chagrin et de remords?

Celui-là non plus n'avait plus de secrets pour elle. Il parlait avant de composer les mots. Trop de figues blettes.

— Je ne sais pas, répéta-t-elle. Personne ne l'a jamais su.

— Eh bien, moi, énonça le chef, je crois savoir pourquoi. J'en suis même sûr. Cela saute aux yeux. C'est évident. Il suffit d'avoir quelque chose là, dans le crâne, pour comprendre ce qui se passe dans la tête des gens.

Et il ne dit plus rien, se contentant de promener un regard autour de lui dans l'espoir que quelqu'un allait être de son avis, sinon de son niveau intellectuel. Il vit deux auditeurs attentifs : un adulte qui semblait songer au vent et un enfant dont les yeux contenaient toute la tristesse du monde. L'inspecteur Ali rongeait patiemment sa tranche de melon, avec un bruit d'évier. Autour d'eux, les Aït Yafelman étaient groupés comme une seule famille, l'oreille tendue. Personne ne toussa, personne ne fit la moindre remarque. L'hospitalité était une chose sacrée.

— C'est l'évidence même, dit le chef d'une voix claironnante. Il était fier, cet homme! Lui, simple paysan, primitif, je veux dire sans aucune instruction, aucune, le voilà devenu commandant à la force du poignet. Parvenu par la volonté au sommet ou presque de la hiérarchie militaire, c'est-à-dire d'un corps constitué de l'État.

— Aha? dit Hajja. Mange ta pastèque. C'est délicieux, ça lave tout à l'intérieur. C'est frais et ça calme.

Agitant la tranche de melon telle une règle de magister, emporté par l'enthousiasme, il poursuivit son exposé :

— Il a brisé les chaînes de la pauvreté, de la misère, de l'esclavage! Je suis fier de lui, voilà ma pensée, voilà mon sentiment! Il a eu le courage de se dresser contre les colonialistes et il les a vaincus... oui, vaincus! malgré leurs armes et toutes leurs forces de destruction. Il pleurait de fierté, de dignité, de souveraineté retrouvées. Je me tue à le répéter à mes adjoints : dans notre si beau pays, si tout le monde pense à l'État, tout le monde sera heureux. C'est clair comme le jour.

Le chef marqua une pause, espérant un soupçon d'intérêt de la part de quelqu'un doué de quelque intelligence. Mais personne ne lui accordait la moindre importance, personne ne lui demandait de continuer à cracher des mots qui passaient par-dessus les têtes rasées au couteau. Tous les regards fuyaient le sien, à deux exceptions près : l'enfant avait les yeux de plus en plus tristes et l'adulte avait le regard d'un demeuré. Quant à l'inspecteur — son subordonné, son inférieur *direct,* ma parole d'honneur! —, il était en train d'avaler tranquillement les restes du plat, comme si ç'avait été le premier repas de sa vie. Mais patience, oh, patience! Tout à l'heure... demain... dès la fin de cette mission officielle!... « Patience et longueur de temps font plus que force et que rage », comme disait ce chef français de l'écriture... La Fontaine, c'est ça... C'était bien lui, il avait appris ses fables à l'école primaire, il n'avait rien oublié...

— Sûrement, reprit-il sur un ton obstiné, ce Filagare est dans la capitale. Il dispose d'un logement de fonction, d'adjoints forcément, d'une voiture munie de petits drapeaux. Et c'est justice! Il ne doit manquer de rien puisqu'il a maintenant le salaire de son labeur, comme il l'a mérité. C'est une Excellence parmi les Excellences, un élément de valeur. Je dois sûrement le connaître.

— Moi pas, dit l'inspecteur.

— Bien entendu, approuva le chef. *Toi,* tu ne connais aucune Excellence, c'est évident.

— Je veux dire : il n'y a rien dans le fichier. Je l'ai lu, de la première à la dernière fiche.

— Qu'est-ce que tu racontes? Ote ton doigt de ton nez!

— Rien sur ce Untel, commandant Filagare qu'il s'appelle. Pas une fiche. Désolé. Les paperasses sont abondantes là où tu sais. J'ai tout potassé. Rien. Pas de commandant Filagare, ni de dos ni de face. Pas même son ombre. Rien non plus sur un certain sergent Filagare. Rien sur un soldat de 2e classe nommé comme ça Filagare. Dis-moi, Hajja, c'est une légende que tu nous as racontée là, hein? une belle légende pour agrémenter le temps et épicer ce magnifique repas dont je me souviendrai jusqu'à mon dernier souffle? Hein, c'est ça, Hajja?

Tour à tour, elle considéra ces deux hommes de la plaine et de là-bas, puis elle battit des mains.

— Bourguine!

— Oui, Hajja? dit Bourguine.

— Prends le seau et mets-y les épluchures, les peaux de pastèque aussi. Ce pauvre bourricot est un animal de Dieu, il est normal qu'il partage notre festin. Non, non, dit-elle précipitamment, laisse les os! Ils serviront pour la soupe demain, *incha Allah!* Et va porter à manger au commandant Filagare avant qu'il ne s'endorme, le ventre vide.

Le chef parut soudain extrêmement fatigué, les ombres sous ses yeux s'approfondirent et les coins de sa bouche s'affaissèrent. Il dit en chevrotant :

— Le co... le commandant? Il est ici? *ici?*

— Il n'y avait rien dans le fichier, s'écria l'inspecteur, réconcilié aussitôt avec sa conscience. Pas le moindre petit bout de papier. Qui c'est qui avait raison, hein? toi ou moi, hein?

— Raho, qu'il s'appelle de son nom, dit Bourguine. Du moins c'est ainsi qu'on l'a toujours connu, nous autres. Je lui mets une platée de couscous, Hajja, et avec ça?

— Des dattes, répondit-elle sans hésiter. Et du chocolat. Il aime bien les bonnes choses de la vie. Donne-lui toute une tablette. Qui sait s'il y en aura encore demain?

— Je lui rapporte son couteau?

— Oui. Après tout, il en aura sans doute besoin.

— Mais... mais... disait le chef de police, mais alors... mais alors, ça change tout! Ça change tout, ma parole d'honneur!...

Accroupi sur les talons, les aisselles sur les genoux, Raho contemplait les étoiles. Elles étaient très lointaines, mais leur lumière était chaude, il le savait. Elles effaçaient les ténèbres de la nuit et du cœur des hommes. Depuis le début du monde, elles étaient là, familières et rassurantes : les hommes ne vivaient pas dans l'obscurité de leur solitude, oh non! Transmise jusqu'à lui, de génération en génération, à travers les religions et les cultures comme si toutes les entreprises humaines étaient trouées et laissaient passer malgré elles l'essentiel de la vie, il y avait la tradition antique où les éléments étaient dominants : la terre, l'eau, l'air et le feu. Tout le reste n'était qu'éphémère. L'homme aussi était antique et demeurait antique, ici sur la montagne et là-bas dans la plaine, ailleurs dans d'autres pays du diable ou de Dieu — antique et terrestre dans sa chair et dans ses passions et dans ses besoins, et même dans ses idées. Il le savait. Il en était témoin.

Ces étoiles étaient là, dans le ciel, depuis qu'il avait ouvert les yeux au monde, les mêmes étoiles assurément, hors du temps, chacune d'elles poursuivant son destin vers un but déterminé. Elles avaient guidé ses ancêtres de fuite en fuite, refoulés des plaines fertiles vers les hauts plateaux arides, puis sur un tout petit espace de montagne, comme en un dernier refuge. Et maintenant, lui, Raho, et ce qu'il subsistait de l'ancien peuple n'avaient plus de terre à cultiver ni de but à atteindre, aucun destin ni sur terre ni au ciel. Les conquérants et les civilisateurs de toutes races et de tous mots les avaient fait revenir à leur état d'origine, comme à l'aube de la création du monde : des êtres dénudés de tout face aux éléments. Et peut-être y avait-il quelque part sur le globe, très près ou très loin, d'autres restes de peuples semblables aux Aït Yafelman que le temps avait pétrifiés à demeure. On pouvait très bien accepter son sort, comme le cactus acceptait la caillasse où il poussait; on pouvait considérer la pauvreté comme un cinquième élément de la vie. Mais pourquoi y avait-il l'espoir?

Raho savait bien que l'eau ne pouvait pas arriver aux lèvres d'un homme qui se contenterait de tendre ses paumes vers elle. Oui, mais quand on s'abreuvait d'espoir à pleine bouche et qu'ensuite on retrouvait la misère immémoriale et intacte, qui vous attendait là, à la fin de l'espoir, elle vous apparaissait plus atroce et vous ne pouviez plus vous en accommoder comme jadis. Raho se mit à pleurer en regardant les étoiles.

Il se souvenait d'avoir pleuré ainsi, misérablement, là-bas dans le pays des Algériens, du temps où il était le commandant Filagare. Il y avait le chagrin d'avoir infligé la mort à des Français, des hommes de guerre peut-être bien mais ses semblables, afin de retrouver sa propre vie. A chaque mort d'homme, c'était un peu de sa vie qui renaissait. Et il pleurait parce que en même temps il y avait la beauté du monde qui l'entourait : beauté des montagnes, beauté du soleil, des arbres, de la lune, des étoiles, des nuages, la splendeur de la vie qui soulevait le cœur de joie.

Et maintenant, assis sur la montagne avec sa détresse, le regard tourné vers l'abîme de la voie lactée, Raho sanglotait, bouleversé depuis l'étoile du berger jusqu'aux scintillements infinitésimaux de la voûte céleste. Ces deux hommes de la ville montés à l'assaut de sa paix représentaient pour le village un danger de mort — ou peut-être, pire encore, d'espoir. Allait-il être encore obligé de tuer ?

Le cerveau vide de mots et la panse aussi bourrée qu'un sac de kapok, ils dormaient, ces fils de chiens venus de la plaine et qui ne savaient qu'aboyer parmi les humains. C'était ce que se préparait à dire Bourguine dans un langage concret et tonitruant, mais Hajja lui coupa aussitôt la parole et, d'une voix douce, à peine perceptible, elle lui donna les instructions précises de Raho. Un instant, Bourguine resta là, à la regarder, bouche ouverte. Et puis il sourit. Sans faire le moindre bruit, il se mit à rire longuement. Ce fut comme un signal : de bouche à oreille, de Bourguine au « Dictionnaire » et d'un Aït Yafelman à un autre membre de la famille, de proche en loin les mots d'ordre furent transmis aux quatre points cardinaux, plus vélocement que par n'importe quel satellite de télécommunications. La lune d'argent se leva dans le ciel, nimbée de cuivre. Elle fut témoin de conciliabules joyeux et presque silencieux non seulement au village, mais dans ceux d'alentour jusqu'aux hauts plateaux, là où commençaient cette fin de XXᵉ siècle et un semblant de civilisation venue d'ailleurs et qui avait modernisé les vieilles féodalités.

Demain si Dieu le voulait, après-demain au plus tard, les Aït Yafelman allaient donner une *diffa,* une vraie fête primitive avec des tambours et des flûtes. Raho avait interrogé les astres. Il connaissait le Destin, de science certaine, suivant la Loi antique.

5

L'âne se réveilla debout sur la montagne, entre ce qui était encore la nuit et ce qui n'allait pas tarder à être l'aube. Sous lui, entre ses quatre sabots, une fraîcheur légère montait de la terre. Elle ne durait guère, tout juste le temps d'un semblant de rosée. Décidément, les jours devenaient longs, plus torrides que jamais, sans la moindre brise ni nuage là-haut, aussi secs que des chardons. Il n'y pouvait rien. C'était ainsi. Autrefois il y avait eu la pluie du ciel et de l'herbe verte.

Immobile, relâchant ses muscles, respirant très lentement, il se laissa imprégner de ce souffle frais de la terre, l'emmagasinant dans son corps pour toute la journée à venir. Il était sans pensée ni désir. Une à une, les étoiles blanchirent et, à mesure qu'elles disparaissaient dans le ciel, le soleil naissant au galop montait à l'assaut de la montagne et faisait brasiller les crêtes, incendiait presque en même temps l'âne rouge en une onde de feu qui le parcourut vague après vague de la queue aux oreilles, comme une marée montante avec le soleil levant sur la mer, de l'horizon à la grève. Il ploya les genoux, se laissa choir doucement sur le ventre, se mit ensuite sur le dos et, pattes écartées en direction des quatre points cardinaux, il se frotta longuement la peau, la racla sur le sol cailouteux, d'un flanc à l'autre, sa tête pesante suivant le rythme en un mouvement lent de balancier. Et, au moment où il allait braire pour saluer le dieu de la lumière, il vit son maître prosterné face au soleil.

Il savait de longue date qu'il ne fallait pas faire de bruit, pas le moindre, quand Raho était dans cette position-là, ni même projeter son ombre d'animal entre l'homme et l'endroit, là-haut dans la montagne, où renaissait tous les matins le globe de feu. C'est pourquoi il se remit debout sur ses pattes avec une douceur extrême et resta là, comme de pierre, le regard fixé sur son maître. Le soleil rougeoya, puis blanchit à son tour et envahit le ciel, la terre et le temps.

Et cela fut ainsi ce matin-là : Raho se releva lentement, ramassa son long bâton, se dirigea vers l'âne et lui sourit. Il dit :

— *Aji!*

Il lui caressa l'encolure et répéta :

— *Aji! Yallah!* Viens, par la grâce de Dieu!

Il souriait comme autrefois, la main qui passait et repassait sur son pelage était redevenue celle d'un compagnon. Une oreille couchée, l'autre dressée vers le ciel comme un minaret, l'âne ne bougea pas. Il ne faisait que regarder son maître.

— Mais oui! dit Raho d'une voix paisible. Nous allons recommencer, toi et moi. Allez, viens! *Yallah!*

L'âne souleva sa patte gauche de devant, puis la patte postérieure droite, et il se mit en mouvement. Sa queue frétillait d'une sorte de joie indicible. Il avait presque vieilli depuis cette époque lointaine où il avait folâtré comme un démon dans le pays des Algériens. Mais il connaissait encore le chemin, de mémoire d'animal.

L'interrogatoire se fit en deux temps et eut deux versions légèrement différentes selon la hiérarchie : d'abord celle du chef parce qu'il était le chef, responsable envers ses supérieurs de la mission officielle qu'ils avaient bien voulu lui confier; puis celle de l'inspecteur, un peu plus alambiquée, que le chef de police nota 8 1/2 sur 20 dans son carnet, à la fin de cette journée d'enfer et de discours superfétatoires. Entre la première question et la dernière réponse, les éléments de l'enquête s'accumulèrent en un gigantesque tas de palabres et de rognures de paroles sans nom et sans forme. Le temps naquit, vécut et mourut — et le chef, officier de la police d'État, passa graduellement ou *ex abrupto* par toutes sortes d'états d'âme : du respect inné qu'il se vouait à lui-même (et que les autres se devaient de lui témoigner, forcément) à l'abandon de tout et au découragement inerte, les bras croisés sur le destin, sans parler des divers degrés de la colère ou de la coprolalie. Mais tout fut noté scrupuleusement par l'inspecteur Ali, questions-réponses, questions sans réponse aucune, les silences et les ricanements des paysans illettrés, mot pour mot. A un certain moment, il nota même l'heure — « 11 h 18 très exactement » — à laquelle le chef, excédé sans doute par un suspect particulièrement coriace, faillit tuer son subordonné d'une balle dans la tête.

Pour l'interrogatoire un peu spécial mené en torticolis par l'inspecteur Ali (« l'enquête arabe, musulmane, primitive et tout ça », affirmait-il, « faut ce qu'il faut, laisse-moi faire, chef! » répéta-t-il à plusieurs reprises d'un air très entendu), il ne fallut pas moins de trois carnets réglementaires. Le chef de police avait été contraint de faire office de scribe et il inscrivait ce qu'il entendait, aussi bien les questions de l'inspecteur qui sautaient dans toutes les directions imaginables que les réponses qu'il suscitait d'emblée, abondantes, très longues et remplies de foin.

Cela avait commencé par un réveil vibrant, à 7 h 30 réglementairement, suivant la montre à quartz du chef, de petites vibrations électroniques dans la caverne : bip-bip-bip...

— Qu'est-ce que c'est que ça? dit le chef, réveillé en sursaut.

Ensuite, il réalisa où il se trouvait et qui il était. Il ne dit pas :
« Qu'est-ce que je fous là, bon Dieu? », mais il le pensait
ferme. Il ne jeta point sa montre-bracelet contre la paroi de la
grotte, non. Il savait se contrôler le cas échéant. Et puis, c'était
un gadget très perfectionné. Tout un symbole de son stade
d'évolution. D'un index civilisé, il pressa le bouton de l'*alarm
off* et les électrons se turent, comme par magie. C'était si
simple, en vérité.

Bouche ouverte sur ses grandes dents, l'inspecteur Ali continuait de ronfler paisiblement, étalé sur sa couche de peaux
de bête. Peut-être son crâne était-il trop épais, à ce fils de
racine de chiendent? Le chef siffla, les lèvres arrondies. Il
siffla plus fort, d'autorité. Il dit à haute voix :

— Réveille-toi!

Il lui donna un vigoureux coup de poing dans les côtes et
rugit :

— Réveille-toi! Tous les matins... tous les matins, c'est pareil.
Je dois tout faire dans cette baraque!

L'inspecteur Ali ouvrit les yeux, l'un après l'autre, considéra
son chef comme s'il le voyait pour la première fois, se mit
debout et, la main droite entre les jambes, il sortit d'un bloc
dans la position de quelqu'un qui souffrirait de la sciatique.
L'instant d'après, là, dehors, à portée d'ouïe, il y eut une sorte
de bruitage radiophonique : ce fut d'abord un jet liquide sous
pression, et puis il y eut quelques menues interruptions dans le
débit, suivies aussitôt de quelques saccades. Quand l'inspecteur
revint, il essuyait tranquillement la dernière goutte avec sa
djellaba. Il dit :

— Oui, chef? Qu'est-ce qui se passe?

— Cochon! hurla le chef.

— Oui, chef. Comment tu fais, toi? Tu n'as donc pas de
besoins?

Le chef se leva lourdement.

— Attends-moi ici. Je reviens dans trente secondes.

Il sortit et revint un quart d'heure plus tard, la mine consti-
pée. Il dit :

— Tu as entendu quoi que ce soit?

— Non, chef. Rien. Sincèrement.

— Je ne suis pas un porc, moi. Quand j'ai des besoins
comme tu dis, je les exprime en silence, moi. Naturellement.

— Mais pour moi, c'était urgent, chef. Par Allah et le Prophète!

— Ah! s'écria le chef. Laisse Allah tranquille! Ne blasphème
pas.

— Mais, chef, ça sor...

— Ça va, dit le chef. J'ai compris. N'insiste pas. Et cesse de
te gratter les couilles.

— Oui, chef. A tes ordres. Qu'est-ce que je fais maintenant? Quel est le programme?

— Commence par t'habiller et va me chercher mon uniforme.
Je suis démuni, amoindri, dans cette tenue d'arriéré. Mes
chefs ne me reconnaîtraient pas, ma parole d'honneur. Va me
chercher mon uniforme au lieu de rester là, à bâiller.

— Où ça?

— Où tu veux, imbécile. Là où il se trouve présentement. Tu
es inspecteur de police ou tu ne l'es pas? Ton cerveau serait-il
par hasard légèrement ramolli par toute cette bouffe dont tu
t'es goinfré hier soir?

— Ah! s'exclama l'inspecteur, le visage réjoui aussitôt.
C'était un tagine de pacha! Il a duré ce qu'il a duré, mais toutes
choses ont leur fin en ce monde. Ah! je m'en souviendrai de
ce tagine, les jours de débine et de planque. Cela n'avait rien à
voir avec la soupe aux pois chiches que me fait ma bonne
femme, ni de près ni de loin. Crois-moi, chef. Je dis la vérité.
C'était bon! Je vais divorcer dès mon retour.

— Va me chercher cet uniforme, beugla le chef, la face cra-
moisie à 7 h 58 du matin, ou je te tue séance tenante!

— J'y vais de ce pas, chef. Ne te fâche pas, dit l'inspecteur.

Et il sortit en marmonnant quelque chose à propos du petit déjeuner.

Il y eut ensuite le second épisode, celui de l'uniforme en question. Oh! il était à présent bien propre, bien sec, étalé au soleil sur un buisson. Mais il en manquait tous les boutons. De beaux boutons en cuivre jaune que Hajja avait décousus pour s'en confectionner une paire de bracelets rutilants. Tempêtant, debout sur le seuil de la caverne et tenant son pantalon à deux mains, le chef n'avait plus de mots pour exprimer son indignation, ni en arabe ni en français. Ni de voix. Sans se démonter, l'inspecteur se transforma en médiateur diplomatique, allant de l'un à l'autre, de l'homme sans boutons à la vieille femme penchée vers le sol, à la recherche de brindilles et de bouts de bois pour allumer le feu.

— Le chef a dit comme ça, Hajja, qu'un djinn a fait sauter cette nuit les boutons de son costume pour les transformer en bracelets autour de tes poignets.

— Ce n'est pas un djinn, c'est moi. Ils sont jolis, n'est-ce pas? On dirait des yeux de serpent.

— Oui, bien sûr, Hajja. Ils sont jolis, mais...

— Tiens, tu vois cette corde qui traîne là-bas? Eh bien, je la lui donne volontiers. Il peut attacher son pantalon avec.

— Il ne voudra jamais.

— Mais si, mais si! Il n'a qu'à faire un nœud. Quand à la veste, pas la peine de la fermer. Il va faire très chaud, mon fils. Comme ça, c'est bien.

Vingt ou trente mètres plus loin, il y avait le chef qui attendait le résultat des négociations. A chaque pas qui le rapprochait de lui, l'inspecteur s'arrangeait avec sa tête et transformait les données négatives en éléments souriants. Le soleil était déjà haut dans le ciel, et il fallait éviter le moindre risque d'incendie.

— Voilà, chef : cette femme du Moyen Age n'a pas ta psychologie, aussi sûr que zéro et zéro font zéro. Alors comme ça, elle a nettoyé proprement ton uniforme officiel et puis... Ne va pas rigoler, chef. Reste calme. Eh bien, voilà : elle a eu une petite idée de rien du tout. Elle ne pouvait pas laver les boutons. Alors elle les a astiqués, lustrés et même parfumés. Ils sont en train de sécher autour de ses poignets. Ils sont sous bonne garde, crois-moi. Sinon, un paysan passant par là les aurait fauchés aussi sec — ou un rapace venu du ciel. Va savoir!

Deux ou trois minutes plus tard, il dit :

— Elle a eu une bonne idée, hein, chef?

— Je m'en fous! Tu es viré, coffré, zigouillé. Tu ne parles pas, tu ne dis pas un mot à cette femme, tu vas la trouver et tu me ramènes mes boutons, un point c'est tout. C'est un ordre. Exécution immédiate!

— Ah bien! très bien, chef. Ce que j'en disais, moi... conclut l'inspecteur en rebroussant chemin.

Le long des vingt ou trente mètres en sens inverse, la fin de non-recevoir opposée par le chef à un petit caprice de femme âgée eut le temps de se muer en une espèce d'algèbre à deux inconnues chargées de souvenirs et d'émotion. Quelque chose comme :

— Comme tu l'as compris dans ta tête pleine d'expérience, cet homme n'est qu'un pauvre orphelin, même s'il vient de la ville. Son père en mourant lui a laissé pour tout héritage des morceaux de cuivre de rien du tout : ces boutons que voilà.

— Aha!?

— Oui. C'est triste, n'est-ce pas? Mais c'est la vie. Il a fait ouvrager par un ciseleur ces bouts de ferraille jaune, en mémoire de son défunt père, que Dieu repose son âme là où elle est! Et c'est par attachement à l'ancien créateur de ses jours qu'il les a attachés à son costume. Comme ça, le père et le fils restent dans la même famille, par-delà la mort.

— Aha? en vérité?

— Oui. Bon, voilà ce qu'on va faire, Hajja. Ouvre bien tes

oreilles et ton bon cœur : tu lui rends ces objets de funérailles et, moi, je te donne une belle paire de bracelets. Regarde!

— Hmmm! fit Hajja. Hmmm! On dirait un piège à renards. Je vais les donner à Raho.

— Si tu veux, dit l'inspecteur. Oui, si tu veux. Si jamais il attrape un de ces vieux renards, garde-m'en un cuissot. Paraît que c'est très bon, cuit dans son jus d'animal avec des glands.

Il dut lui expliquer le fonctionnement des bracelets, en employant des mots d'une seule syllabe. Il la mit en garde contre un certain ressort policier de Satan qui avait tendance à resserrer l'acier sur la chair. Il ne fallait surtout pas mettre les bracelets sur les deux poignets à la foi, sinon, *crac!* terminé, pas moyen de s'en libérer, surtout avec les deux mains emprisonnées, tu comprends, petite mère?

— Tiens, Hajja, conclut-il, voilà les clefs en cas de.

Et il alla recoudre les boutons du chef, en premier lieu celui du pantalon. Le chef bougeait tout le temps, tournait sans cesse comme un homme politique dans ses options, brassait l'air en moulinets frénétiques. Quant à ses paroles!... Mais, oreilles fermées, l'inspecteur mania le fil et l'aiguille avec dextérité. Il ne sut jamais comment il avait fait pour ne pas piquer dans un bout de gras, et l'abdomen de son supérieur était bien gras. Peut-être la *baraka* d'Allah? Le soleil avait déjà atteint le premier quart du ciel et ses rayons étaient étincelants. C'est pourquoi, une fois tous les boutons recousus sous sa haute surveillance, le chef ôta sa veste, la replia soigneusement, s'épongea le front et dit :

— Il fait chaud.

Il souleva les pans de sa chemise et les agita en éventail. Il dit sur un ton décidé :

— Bon. Ne perdons pas de temps. Il va falloir commencer cette enquête et je ne suis pas secondé. Le temps file et tu ne fais rien, sinon des travaux de couture. Et notre mission officielle, hein?

— Oui, chef. Trois moins trois quarts, ça fait deux un quart, si je ne m'abuse.

— Qu'est-ce que tu racontes? Qu'est-ce que tu mathématiques? C'est la chaleur qui te liquéfie le cerveau?

— Oh non, répondit l'inspecteur avec une grande simplicité, pas la chaleur. J'y suis habitué depuis l'enfance, dans le four de mon père. Je vais t'expliquer, chef : l'hospitalité dure en général trois jours; nous sommes ici depuis hier midi, ce qui fait dix-huit heures, trois quarts de jour si tu préfères. Total : il nous reste deux jours un quart. Juste? Et nous n'avons pas encore pris notre petit déjeuner.

Le chef réfléchit dans tous les sens et dit :

— Va me chercher un siège.

— Quel siège? demanda l'inspecteur. Je ne vois pas de siège ici et j'ai de bons yeux. On est à la campagne, dis donc.

— Et ça, c'est quoi?

Le ton du chef de police était sec, incisif, glacial et, de toute évidence, destiné à transpercer son interlocuteur sur-le-champ.

— Oh, ça! dit l'inspecteur avec une certaine commisération. C'est rien qu'une vieille caisse. M'est avis qu'elle a dû contenir des savons de Marseille dans les temps anciens, en 14-18 je crois bien. C'était la Première Guerre mondiale. Notre pays venait d'être protégé. Il faut te dire, chef, que ces vieux savons lavaient bien, ils moussaient...

— Apporte-moi ce siège et arrête de t'exprimer en bouillie et en purée.

— Oui, chef.

— Ici, plus près, afin que je voie les suspects. Il faut qu'ils soient dans la lumière et moi dans l'ombre.

— On aurait dû apporter des projecteurs.

— Et l'électricité? hein?

Assis, le chef cala ses pieds sur le sol, souffla par la bouche, puis sortit un porte-mine de sa poche, se mit à le faire tourner entre ses doigts. Ce simple geste — l'inspecteur en était témoin —

semblait lui redonner confiance. Le porte-mine avait fait une douzaine de petits tours quand l'inspecteur se décida à poser une question :

— Qu'est-ce qu'on fait maintenant, chef?

— Toi, tu ne fais rien. Tu obéis aux ordres. Tu exécutes. Un point c'est tout. Pendant ce temps, moi, je pense et je conduis l'enquête de *a* jusqu'à *z*. Ce qui te permettra de t'instruire, de te cultiver.

— Oui, chef. C'est un bonheur de la démocratie de travailler avec toi.

— Tous les citoyens sont utiles, exposa le chef, toutes les professions. Mais il faut bien te rendre compte que, d'une catégorie socio-professionnelle à l'autre, il y a des différences, d'énormes différences. Un ouvrier se rend à son usine, il y travaille toute la journée, mais automatiquement, hein? machinalement, parce qu'il ne pense pas, il n'a qu'à exécuter. Un professeur dans son établissement scolaire, que fait-il? Il inculque le savoir, l'éducation, la culture, le devoir civique à ses élèves, mais... mais, en définitive, il a à sa disposition des livres et des manuels où tout est écrit noir sur blanc. Il les lit, un point c'est tout. Tiens, parlons des députés, et même des ministres. On croit généralement qu'ils dirigent les affaires de l'État. Eh bien, pas du tout. Oh! pas le moins du monde. Ils ne font qu'appliquer les directives venues d'en haut. Parce que heureusement pour nous il y a quelqu'un là-haut qui pense, tout là-haut. C'est notre tête!

— Oui, approuva l'inspecteur sur un ton de vénération intense. Que Dieu le bénisse et le protège!

— Même les ministres! oui, même les ministres et les huiles! Oh, je ne dis pas qu'ils ne pensent pas, mais il ne le font qu'à moitié, à 50 %. Crois-moi, petit, rares sont ceux qui ont la faculté cérébrale de penser, de cogiter, de conceptualiser. Je vais te donner un exemple : une enquête — j'entends une enquête supérieure, telle que celle dont le gouvernement m'a chargé, ça, c'est quelque chose! C'est très, très dur, parce que je dois partir de rien, de zéro, du néant. Il me faut travailler avec le cerveau, mener cette enquête à son terme comme un navire dans une mer en tourmente. Et, si je veux y arriver, je dois la partager en quatre temps, comme les quatre mouvements d'une symphonie classique. Tu sais ce que c'est, une symphonie?

— *Bitouven?* lança l'inspecteur.

— Quoi? dit le chef, précipité brutalement en bas du mont Sinaï.

— *L'Orange mécanique,* j'ai vu ça au ciné. Terrible! ça saignait dur. Y avait la musique de ce *Bitouven* qu'il s'appelle.

— Seigneur Dieu! laissa tomber le chef.

Ses yeux noirs, très vifs, étaient comme affolés dans leurs orbites — ce genre d'yeux qui n'ont pas été satisfaits et ne le seront jamais.

— Voyons, dit-il avec philosophie. Reprenons les choses depuis le début. Tu fais bien partie de la police d'État?

— Oui, chef. Aucun doute là-dessus.

— Tu es bien inspecteur?

— Oui, chef. J'ai la carte et la médaille.

— Tu t'appelles bien Ali?

— C'est ça. Ali. Je suis toujours le même, je n'ai pas changé de nom comme certains. Pas de pseudonyme, pas de 007 comme ce James Bond à la noix. C'est rien que du ciné. Police-police, camarades après, moi.

— Sous mes directives, tu as mené quelques enquêtes — de routine, disons? Des broutilles, des affaires de second ordre?

— Dix-sept arrestations, chef. Et un gars qui m'a claqué entre les doigts. Faut dire qu'il avait le cou fragile, cet enfoiré de sa mère!

— Je t'ai couvert à l'époque pour cette bavure de la fatalité, tu étais en service commandé. Mais revenons à nos bourricots : tu es bien sûr que tu n'as pas un frère jumeau?

— Non, chef. Sûr et certain. Pas de frère jumeau dans mon dossier, tu l'as étudié à fond dans le temps.

— Tu n'aurais pas par hasard un sosie qui aurait pris ta place, une espèce d'immense imbécile qui est présentement là, sous mes yeux, en train de faire le pitre pendant que son chef essaie d'élever le débat?

— Oh ça? s'exclama l'inspecteur et il cracha par terre. Je plaisantais, voyons! Voyons, chef! Il fait très chaud et quelques mots marrants ont glissé de ma bouche, malgré moi. Qu'est-ce que tu disais?

Le chef garda obstinément le silence, tandis que le soleil montait toujours plus haut à la conquête du ciel. Il fallait ce qu'il fallait : des pays développés et d'autres en sous-développement et à la traîne, qu'il était si malaisé, surhumain, de faire progresser un tant soit peu... d'autant que les pays industrialisés n'allaient pas les attendre! Mais Allah était le plus grand, malgré le gouvernement moderne qui était à la tête de l'État...

Regardant le visage dangereusement fermé de son chef, l'inspecteur se dandinait d'un pied sur l'autre, très indécis, comme chaque fois qu'il était obligé de voter. Les formations politiques aboutissaient jusqu'à lui sous forme de bulletins de vote semblables et interchangeables, avec pratiquement le même programme et les mêmes mots. Et alors comment faire le bon choix? C'était si dur de se décider, aussi dur qu'un silex. Voter pour le parti Untel qui prônait l'indépendance nationale, le respect des institutions et le progrès social? Oui, certes. Mais il y avait le Untel parti qui se réclamait du progrès social, du respect des institutions et de l'indépendance nationale!... Rien n'était différent, les institutions étaient toujours au centre; seuls, ma foi — et c'était peut-être une indication de taille —, cette indépendance et ce progrès avaient permuté, de la première à la dernière place et vice versa. Fallait-il trouver là, à toute force, le changement des chantres? Mon Dieu, qu'il était difficile de ne pas commettre une erreur de jugement, capable de faire s'écrouler la monarchie constitutionnelle! Ah! s'il n'y avait pas ces foutues élections!... Du temps des Français, on ne votait pas, c'était plus simple. Il n'y avait pas cette tension qui comprimait le cerveau et le mettait à feu et à sang. *« Seigneur de clémence et de miséricorde, maître des mondes et roi du jugement dernier, inspire-moi! Souffle-moi la bonne réponse. Peut-être la couleur du bulletin?... »*

Une main écartait le rideau de l'isoloir, tapait sur l'épaule de l'inspecteur.

— Il y a la queue, mon gars. Laisse tomber! Lâche ta fausse couche. Pas la peine d'attendre jusqu'au neuvième mois.

On allait même parfois jusqu'à le faire sortir *manu militari* et il n'échappait au panier à salade qu'en exhibant sa plaque de police à ses collègues qui surveillaient le bureau de vote et les scrutateurs. « Soyez chics, les potes, leur disait-il en leur tendant les bulletins. Votez pour moi. Comme vous autres, quoi! On m'appelle au quartier, je suis pressé. Et merci, hein? »

Ici, dans la caverne, face à son chef qui le jugeait à travers ses petits yeux pleins de points d'interrogation, comment devait-il voter? Et il n'y avait personne, aucun collègue, à qui déléguer ses responsabilités. Pour la rouille d'un clou, pour un demi-oui ou un quart de non, ce chef qui faisait partie d'une légion innombrable de chefs pouvait très bien le priver de son gagne-pain, le saquer. Il avait le droit à tout moment d'établir un rapport sur lui, avec sa signature alambiquée et un tampon. Ce rapport officialisé de la sorte ferait des petits, où chaque chef couvrirait le chef précédent avec sa signature et son propre cachet et... L'inspecteur préférait ne pas y penser. Il aimait la vie. Il dit, votant pour l'abstention pure et simple de sa personnalité :

— Chef, je viens de me flanquer des coups de pied au derrière, parce que je le mérite. Mon attitude est inqualifiable. Toujours en train de plaisanter et de couper ton discours par des réflexions de zèbre. A ta place, je me fâcherais pour de bon. Mais je ne suis pas à ta place, hélas! Je ne peux être qu'à la mienne. Quand je pense que, toi, un chef, c'est-à-dire un homme instruit, éduqué, cultivé, intelligent qui plus est, tu m'as tiré un jour gris et maussade du terrain vague de la misère où je m'exerçais au ballon rond parce que je n'avais rien d'autre à faire! Quand j'y pense!... Les larmes me montent aux yeux. J'étais loqueteux, à part les godasses de foot que j'avais aux pieds...

— Chaussures, dit le chef. Pas godasses. Parle correctement.

— Oui, chef... De pauvres petites chaussures qui ne m'appartenaient même pas. J'avais le ventre troué de faim, rien que de la soupe et des quignons de pain. Je n'avais rien, je n'étais rien, oh! rien du tout. Et puis, je suis entré dans la police où tu étais déjà, tu as suivi ma carrière de haut, de la place éminente que tu occupes. Il y a trois ans, tu as eu la bonté de me faire passer un test afin que j'accède aux fonctions enviées d'inspecteur — un test dont je me souviendrai toute ma vie...

— Certes, dit le chef qui commençait à sourire — et puis, son visage se referma soudain. La dictée était déplorable. Mais tu as fait preuve de bons réflexes au tir.

— Tu as su éclairer les ténèbres séculaires de mon cerveau, tu en as chassé les toiles d'araignée, que Dieu te protège et te donne la santé physique et mentale! Car du jour au lendemain, comme par magie, j'ai quitté la guérite du commissariat central où j'étais de faction du matin au soir, debout comme un ch... comme un chêne, et je me suis retrouvé dans un bureau, assis dans un fauteuil comme un pacha, moi qui ne m'étais jamais assis que par terre, comme mon père et tous les miens. Et j'avais à ma disposition un téléphone, avec plusieurs touches. Tu m'as appris à m'en servir.

— Téléphone américain, dit le chef. Le meilleur. Il faut ce qu'il faut dans la police d'État. Pas de cadran à faire tourner, rien que des touches très, très sensibles. Dans notre profession, il faut agir vite, comme tu le sais. Au moindre appel d'en haut.

— Oui, chef. Et s'il n'y avait que ça! Mais tu as fait davantage pour moi, en profondeur. Tu m'as enseigné le métier dans ses moindres méandres, notamment la façon de griller les autres polices. Et c'est quelque chose, par Dieu! Tu m'as instruit dans l'étude des dossiers, tu m'as montré comment il fallait les lire et les interpréter à une virgule près, puisque au départ tous les mots sont coupables.

— Non, non, protesta mollement le chef. Certains sont seulement suspects. Tu vois la différence, n'est-ce pas?

— Pas tout à fait, je l'avoue, mais ça viendra avec ton aide. Comment tu t'obstines encore à vouloir me hisser à ton niveau, ça, je ne comprends pas. M'élever jusqu'à ton intelligence, c'est-à-dire faire de moi un adjoint digne de ce nom, capable de t'écouter mot pour mot et d'exécuter tes ordres. Mais tu sais, chef : parfois, certains de tes propos sont trop... trop vastes pour moi.

— N'exagérons rien, dit le chef en déboutonnant la ceinture de son pantalon. Disons trop denses.

— C'est ça, chef! Tu as trouvé le mot exact : denses comme un brouillard épais... Je veux dire par là qu'à la différence du tien, mon cerveau n'arrive pas à percer le brouillard. Tu comprends? Et puis, tout à l'heure, tu étais en train de m'expliquer hautement comment tu allais t'y prendre pour cette mission officielle dont je ne connais pas le premier mot. Et moi, au lieu de t'écouter religieusement... Ah! par Allah et le Prophète, je mériterais des claques.

Et du dos de la main il s'envoya une gifle magistrale en travers de la figure.

— Pourquoi tu agis ainsi, hein, inspecteur Ali? Peut-être que tu traînes le poids de ton passé? C'est possible, tout est possible dans ce pays. Comme je te l'ai dit cent fois, mon père était un pauvre gardien de four. Je t'ai déjà parlé de mon grand-père? Non, n'est-ce pas? Eh bien, ce n'était qu'un commerçant. Aisé, mais sans plus. Et avant lui, à ce qu'on m'a raconté, mes aïeux étaient de simples paysans sans histoire, qui ne possédaient rien d'autre qu'une quinzaine ou une vingtaine d'hectares par famille. Oh, guère davantage. Aucune comparaison avec ces propriétaires fonciers d'aujourd'hui qui alignent des dizaines et des dizaines de milliers d'hectares... parce que eux, ils comptent, ce sont des personnalités, forcément. Non, cent fois non, mes ancêtres avaient juste de quoi vivre, comme des miséreux : des céréales, du lait, du bétail, des poules, des chevaux. Tu vois la situation, chef? Tous des va-nu-pieds dont je suis le triste aboutissement. Dans ma lignée, aucune personnalité marquante, aussi loin qu'on remonte la forêt vierge de la généalogie.

— Je commence à comprendre, dit le chef, pensif. Je t'expliquerai un jour ce qu'on entend par la prise de conscience et l'évolution.

— Merci d'avance, chef. D'après ce que l'on m'a raconté — histoires de bonnes femmes, légendes et tout ça —, il y a eu dans ma famille quelques grosses têtes carrées, du temps de cette Andalousie arabe, des types qui étaient pleins de vent. Haha! ils dessinaient des cartes de pays et d'océans, haha! Tu te rends compte? Il y en avait même, paraît-il, qui écrivaient des bouquins! Tu vois d'où je sors? Aucun chef dans ma famille, aucun militaire. Pas un seul petit flic.

— Ne sois pas triste, frère, dit le chef. Tu es déjà dans la police. Alors pense à tes enfants. Leur chemin est tout tracé. L'espoir est là, l'horizon 2000.

— Oui, chef. Mais je ne cesse de remonter vers mes origines et qu'est-ce que je trouve? Des ancêtres de rien du tout. Tu as ramassé un beau zéro, chef, c'est-à-dire moi. Je suis bien conscient que tu ne peux pas transformer ce zéro en trois ou quatre, disons deux. C'est le poids du Moyen Age qui me ramène constamment en arrière.

Il marqua une pause et se mit à soupirer. Le chef avait

déboutonné sa chemise depuis longtemps et il était en train de délacer ses bottes. Un pan de soleil entrait et s'allongeait dans la grotte, aussi ardent qu'une épée de feu. Le chef dit sur un ton docte :

— Il est juste et même normal que de temps en temps on fasse son autocritique, pour bien se rendre compte des conneries qui sont en nous. Tu viens de la faire. C'est bien. C'est même très bien. En agissant ainsi, tu t'es remis en question, tu t'es vu. Tu as fait ton propre interrogatoire, une enquête sur toi-même. Petit à petit, comme le nid fait son oiseau, tu vas finir par évoluer à force de regarder en face tes défauts de base, tes tares. Forcément. C'est ce qu'on appelle le progrès. Encore faut-il que tu *écoutes* tes aînés.

— Je t'écoute, chef.

— Pas toujours, pas toujours! Je veux bien te faire évoluer, dans la mesure du possible, parce que je te veux du bien, crois-moi. Je veux bien envisager avec toi l'avenir et essayer de le rendre aussi facile qu'un doigt entrant dans une motte de beurre. Car, qui sait?... aujourd'hui inspecteur, demain peut-être sous-chef...

— Oh! chef!

— Et plus tard, bien plus tard, qui sait... chef!

— Oh! mon Dieu!

— En attendant, aide-moi donc à retirer mes bottes. J'ai les pieds bouillants et je dois me sentir à l'aise de la tête aux pieds pour affronter ma mission.

— Oui, chef. Parfaitement. Il ne faut pas que ça chauffe.

Une à une, les bottes retentirent dans la grotte en tombant.

— Comme je te le disais tout à l'heure, au début de cette conférence — *briefing* en américain —, je vais partager cette enquête en quatre mouvements. Premièrement, je vais... Tiens, prends mon porte-mine, je te le confie. Ne l'abîme pas, ne le casse pas. J'y tiens.

— N'aie crainte, chef. C'est un grand honneur...

— C'est un TK-Matic, capable de tracer mille mètres d'écriture sans avancer la mine. Sans avancer la mine sur un parcours de mille mètres, soit un kilomètre, tu te rends compte?

— Par Allah et le...

— Tu as ton calepin?

— Oui, chef. Le voilà. J'ose à peine y écrire avec cette merveille.

— Ose. Prends note de ce que je vais te dire, mon ami. Donc, premier mouvement : je vais faire comme si de rien n'était, parler avec ces paysans de tout et de rien, de la pluie et du beau temps, des semailles et de la récolte, histoire de gagner leur confiance et parce que, en dehors de la glèbe, ils sont tout juste bons à fusiller. Deuxième mouvement... Tu notes?

— Oui, chef. Ce truc marche tout seul en quatrième vitesse. Vas-y, continue. Je ne peux plus l'arrêter.

— En second lieu, j'entre à l'intérieur de leur psychologie, c'est-à-dire dans leur crâne épais. Je fouille, je fouille et je me rends compte en un rien de temps d'une chose élémentaire : qui est suspect et qui ne l'est pas. Bien que ces glaiseux se tiennent les coudes... mais fais-moi confiance. Troisième mouvement : j'isole les suspects en un groupe à part, et là... là, changement radical de ton. Nom? prénoms? profession? casier judiciaire? emploi du temps? alibi?

— Comme au commissariat?

— C'est ça. Mais un peu plus en profondeur, en tenant compte de l'environnement, puisque je ne suis pas dans mon bureau. Quatrième et dernier mouvement : le suspect n° 1 est là, il est devenu coupable et j'abats les cartes. Le travail est alors terminé, la mission est à son terme.

— En combien de temps, chef?

— Ça dépend... ça dépend... Un jour, deux jours, tout dépend des circonstances. Pourquoi tu me demandes ça? Tu es pressé de rentrer et de retrouver ta bonne femme?

— Moi? moi? s'écria l'inspecteur. Qu'à Dieu ne plaise! Ne

me parle plus de cette « peau de mouton * ». Il a fallu que je vienne jusqu'ici pour retrouver le goût de la nourriture. Pas de petit déjeuner ce matin, chef. Ces ploucs ne doivent prendre qu'un seul repas par jour, si ça se trouve.

Le chef se mit à rire. Ce fut un rire bienveillant, paternel.

— J'ai tout prévu, cervelle d'escargot. Là, dans mon sac. Des biscuits, des sandwiches. Un Thermos plein de café. Et des couverts.

— C'est un plaisir du paradis...

— Laisse ce sac. Tout à l'heure. Écris! Instruis-toi, gagne tes futurs galons à la sueur de ton estomac.

— Oui, chef.

— Inscris... Les quatre mouvements de l'enquête s'accompagnent de quatre tons différents. Le ton est d'abord familier, inoffensif, passe-partout. Peu à peu, je le transforme... mais progressivement, hein?... par petits paliers, jusqu'à ce qu'il devienne neutre, précis et fonctionnel. Changement à vue : le ton monte, prend de l'ampleur, au moment où je sépare le grain de l'ivraie et isole les suspects. Enfin, quand le coupable est là, devant mes yeux, je retrouve mon ton véritable, celui de la vérité qui m'a animé depuis le début de l'enquête. Rien de plus simple, comme tu vois. Encore faut-il avoir une grande expérience de la nature humaine et de ses fluctuations. Referme ton carnet et rends-moi mon porte-mine.

— Voilà, chef. Ah! par Allah, si j'avais eu ce truc à l'école primaire...

— Qu'est-ce que c'est que ça? hurla le chef. Qu'est-ce que c'est, cette chose gluante? On ne peut rien te confier, ma parole d'honneur. Tu bousilles tout, tu me fatigues. Voilà ce que ça donne de manger avec les doigts, comme tu l'as fait hier soir! Je te prête un instrument de prix et de précision et

---

* *Hedoura*, en langage populaire, c'est bien une vieille peau de mouton, mais c'est aussi une femme qui a fait son temps.

qu'est-ce que tu me rends? Un vulgaire porte-mine maculé, glissant, graisseux! Tu ne t'es pas encore lavé les mains?

Il se mit à frotter le TK-Matic à l'aide de son mouchoir, l'essuya minutieusement. L'inspecteur regardait ses mains tristement. Il dit avec une grande simplicité :

— Il n'y a plus d'eau.

— Comment, il n'y a plus d'eau? qu'est-ce que tu vas chercher comme excuse? Tu crois que tu vas t'en tirer comme ça?

— Non, chef. Loin de moi cette supposition malhonnête. Je t'explique : tout à l'heure en discutant un peu avec Hajja au sujet des boutons que tu sais, j'ai appris qu'il n'y aurait pas de thé. Et donc pas de petit déjeuner, en attendant le pique-nique que tu as dans ta sacoche. Voilà pourquoi mon estomac gargouille à l'heure qu'il est.

Le chef agrafa son porte-mine à la pochette de son uniforme, considéra le mouchoir, le roula en boule, le jeta dans un coin, le plus loin possible de sa personne. Puis, le front creusé entre les sourcils d'un sillon d'incompréhension, il dit :

— Il y en a ras le bol! J'en ai plus que marre de toi! Qu'est-ce que c'est cette histoire où tout se mélange : tes doigts gluants, le thé et des bruits d'entrailles incongrus?

— Voilà, chef. Ne rigole pas, garde ton sang-froid. Ce n'est pas moi qui plaisante, c'est Hajja. Elle m'a dit qu'hier il y avait une réserve d'eau, deux ou trois gourdes pour la semaine. Et puis, nous sommes arrivés et tu en as bu un peu. Tu t'es rafraîchi. Disons pas mal. Il a fallu ensuite cuire ce repas abondant et délicieux. Avec de l'eau, naturellement. Trois gourdes moins trois, il reste trois récipients vides. Plus une seule goutte. Interrogée avec prudence, Hajja reconnaît volontiers qu'il existe un puits, mais en bas, hein? c'est-à-dire à une dizaine de kilomètres dans cette fournaise. C'est ce que m'a dit cette vieille dame. Elle a ajouté en souriant que les villageois d'alentour ne cessent de puiser dans ce puits, à tour de rôle. De sorte qu'à l'heure actuelle... tu peux imaginer la situation, chef. Hajja avait les yeux candides en me communiquant ces dernières nouvelles. Je ne mets nullement en doute sa parole. C'est elle qui habite ici. Pas moi. Ni toi, chef. C'est la fin du commencement, comme disait ce gros lard. Churchill qu'il s'appelait, le gars.

L'inspecteur avala sa salive et lâcha le fond de sa pensée.

— C'est la catastrophe, conclut-il.

Quelques minutes s'écoulèrent au ralenti, avec le débit d'un robinet mal fermé. La ride sur le front du chef, due à l'effort de réflexion, eut le temps de virer au mauve, puis au violet. Quand il ouvrit la bouche, ce fut pour laisser tomber un ordre sec :

— Je m'en fous! Lave-toi les mains. Débrouille-toi. Je parie que ton calepin doit être maculé de graisse, lui aussi.

— D'accord, chef. A la guerre comme à la guerre, comme disent les soldats.

L'inspecteur cracha résolument dans ses mains, les frotta l'une contre l'autre comme s'il les lavait au savon. Il y avait bien le beau mouchoir du chef dans un recoin de la grotte, mais il se garda d'y toucher. Longuement il s'essuya les doigts sur la peau de mouton où il était assis, insistant sur les ongles. A la réflexion, il examina ses mains à contre-jour, les renifla. Puis il dit :

— Elles sont propres, chef. Je crois. S'il n'y a plus d'eau, je te demande poliment, avec l'expression de mes sentiments très respectueux : qu'allons-nous devenir? Nous voici à présent bel et bien coincés dans ce trou comme des rats haletants de soif — et bientôt de faim. Aucun mirage à l'horizon, sauf ce petit pique-nique qui se trouve à l'abri dans ton sac de voyage. Mais il ne durera guère. Qu'est-ce qu'un Thermos? à peine de quoi s'humecter le gosier à l'article de la mort. Déjà, je commence à manquer de salive et je ferais bien de me taire. Tu vois ce soleil, chef? il chauffe, il n'arrête pas de chauffer. Moi, le fils de mon père né et grandi dans un four, j'ai failli m'évanouir tout à l'heure, là, dehors, tandis que je conversais paisiblement avec Hajja. Tu veux aller te rendre compte par toi-même? Hein, chef?

La ride frontale s'était effacée, cédant la place à un sourire très intelligent qui illumina le visage du chef.

— Non, répondit-il catégoriquement. On ne me la fait pas. Pas la peine d'insister. Il y a des tâches plus nobles qui requièrent la concentration de mes facultés mentales. Je n'ai pas le temps de m'amuser avec toi. Aide-moi plutôt à reculer mon siège. Ce satané soleil est en train de m'aveugler. Ce serait du propre si je perdais la vue.

— Oui, chef. Ce serait la vraie catastrophe. Ne parlons plus de ce léger détail.

L'inspecteur poussa son supérieur assis sur la caisse, de toutes ses forces.

— Quel détail?

— L'eau.

— Oui. Bon, dit le chef. Hmmm! Écoute bien. Non, non, pas la peine de noter. Économise le papier. Je te délivre séance tenante une commission rogatoire. Va me chercher ces paysans, tous tant qu'ils sont. Je vais commencer l'enquête pour de bon. On va bien rire. Tu as assez lambiné.

— Tous à la fois? demanda l'inspecteur. Comment pourraient-ils tenir dans ce trou?

— J'ai dit, explosa le chef... j'ai dit « tous tant qu'ils sont ». Ce qui signifie dans toutes les langues du monde : « l'un après l'autre, jusqu'au dernier ». Espèce d'inculte zoologique! Ne déforme pas mon propos. Va me chercher les prévenus, par ordre d'importance : les gros d'abord comme Hajja, le commandant Filagare, Bourguine à la rigueur, puis les moyens, et pour finir le menu fretin.

— J'y vais de ce pas, dit l'inspecteur. (Il ne fit pas un geste

pour se préparer à sortir.) Et si tu les interrogeais par ordre
décroissant, chef? Le petit doigt pour commencer, le bras
entrera dans l'engrenage, suivront l'épaule, le cou, la tête
et tout ça. C'est simple. Le grand bond en avant toute, comme
disaient les Chinois.

— Tu vas y aller, oui?

— Tout de suite, chef.

L'inspecteur Ali se garda bien de bouger. Devant lui, il y
avait l'incompréhension humaine, mais derrière son dos le
danger était plus grand : la fournaise. Par pans, par laves,
le soleil blanc entrait triomphant dans la caverne. Les parois
commençaient à fumer. Et il y avait encore deux jours d'hospitalité!

— J'ai une bien meilleure idée, dit-il. Je te l'expose briève-
ment, chef, comme suit : un, on prend nos jambes à notre
cou; deux, on démarre dans notre bagnole toutes vitres baissées; trois, on s'arrête dans le premier hôtel venu, histoire de
se rafraîchir et de casser la croûte, et, si ça se trouve, quand
on reviendra par ici, ce sera la fin de l'été. Quand les choses
se compliquent, mieux vaut laisser tomber avec philosophie.
Les Français prétendent qu'il faut agir dans ces cas-là, mais
on n'est pas des Français, n'est-ce pas, chef?

— Considère-moi en frère, inspecteur. Prends tout ton temps
pour répondre à cette petite question : je fais un rapport sur
toi à la minute même ou bien à notre retour dans la capitale?
Choisis. Défends-toi. Donne-moi tes arguments pour et
contre. Imagine que tu es devant un juge qui a beaucoup de
sympathie pour toi, qui a essayé de t'aider mais qui n'en peut
plus, à la fin des impasses! Merde alors!

— C'est d'accord, dit l'inspecteur.

— Qu'est-ce qui est d'accord?

— Je vais chercher les coupables, chef. Immédiatement.
Est-ce que je pourrais avoir une gorgée de café du Thermos?

— Est-ce que j'ai bu, moi?

— Non, chef.

— Est-ce que j'ai soif, moi?

— Je n'en sais rien, chef.

— Eh bien alors?

— Eh bien, bon, pas de café. N'en parlons plus, par Allah!

Il sortit lentement, tournant le dos à tout avenir. S'il pensait à quelque chose, c'était à ce fusil que le chef de police avait oublié la veille, dans sa première colère, près de l'enclos où Raho se tenait debout comme une vigie du temps.

L'âne rouge cheminait sous le soleil de feu, sans se presser, en direction de l'est.

— *Sire, yawlidi!* lui avait dit son maître. Va, mon fils! Je te confie cet homme. Conduis-le là où tu sais.

L'homme en question était à califourchon sur son dos depuis l'aube, sans selle ni bride, se balançant au rythme du petit trot et des cahots, et ses pieds étaient presque à ras du sol. Sur le versant de la montagne, le sentier était bien raide, étroit, bordé de ronces et de ravins, si anguleux par endroits que l'âne avait grand-peine à se souvenir de son passé. Mais il tendait le jarret, faisait porter tout son poids sur ses pattes postérieures, tournait avec le chemin. Il fallait prendre grand soin de son chargement humain, lui servir de guide — et d'yeux.

De loin en loin, comme un encouragement, aussi chaleureux que la voix d'un ami, lui parvenait par bouffées le son grêle de la corne de taureau. Les oreilles couchées derrière lui, l'âne essayait d'en percevoir les moindres résonances. Mais la distance s'allongeait à chacun de ses pas, le soleil semblait descendre et liquéfier le temps et, bientôt, il n'y eut plus d'autre bruit que le martèlement des sabots sur la terre pétrifiée.

6

Près d'une heure après son départ, deux ou trois selon le chef de police à bout de patience et de soliloque, l'inspecteur Ali était de retour, précédé d'une sorte d'aura. Il tenait négligemment sous le bras son costume de civilisé, roulé en boule autour de ses chaussures et, babouches aux pieds, drapé dans une gandoura de Sahraoui, il avait fière allure. Maigre, sec et rebelle. S'il avait quelque peu calmé sa soif et sa faim au détour d'une conversation à bâtons rompus avec un paysan qui était devenu son ami sous le soleil de juillet, il se garda bien d'en faire mention. Il fallait ce qu'il fallait — mais il ne fallait pas ce qu'il ne fallait pas. Jetant un petit coup d'œil sur le chef, il posa ses vêtements dans un coin de la grotte et dit avec diplomatie :

— Me voilà, chef. Ces tissus synthétiques sont confortables, ma foi oui, mais chez les Italiens, les Américains, à Paris et peut-être bien dans les villes évoluées de chez nous. Ici, au pays du Moyen Age, ils ne valent rien contre la chaleur. Un Aït Yafelman qui passait par là m'a vendu cette gandoura du désert pour quelques pièces de monnaie. Pour trois fois rien. Quand on pense que les touristes du Klebs Méditerranée s'arrachent ces produits de l'artisanat à coups de devises! Bon. J'avais donc entrepris le plouc pour la commission rogatoire que...

— Rapport! coupa le chef.

111

Il exprima ce mot sans charge émotionnelle. La colère avait eu le temps de monter et de redescendre au cours de ces heures où toute autorité s'était trouvée coincée dans une caverne, traquée dans la pire des impasses : la solitude. L'inemploi, le chômage du pouvoir. Oui, la fureur était maintenant ravalée avec la bile et la vésicule biliaire, tout était classé détail par détail dans un dossier épais, au fond de sa mémoire. Il avait pris sa décision et elle était irrévocable. Mais plus tard..., plus tard, dans un jour ou deux, quand cette mission...

— Où sont les prévenus? demanda-t-il d'une voix égale, aussi lisse que ses cheveux gominés.

A l'écoute de cette voix presque amicale, l'inspecteur sentit aussitôt le danger. C'est pourquoi, s'inspirant des prestations gouvernementales à la télévision, il traça un tableau idyllique de la situation économique et sociale, selon le principe qui avait fait ses preuves de charbon et de bois : 1) tout allait bien; 2) cela aurait pu aller mieux encore si la hausse des produits pétroliers..., etc.

— Tout va bien, chef, dit-il. J'ai pu affronter le soleil dans le devoir. Faut ce qu'il faut, puisque les ordres sont les ordres. Je suis descendu jusqu'à la place du village. La voiture est toujours là. Les pneus sont dégonflés, c'est la chaleur probablement. Je les ai entourés de chaume afin qu'ils ne se transforment pas en latex. Le caoutchouc fond, comme tu le sais. Et puis, les maisons sont toujours là, mais vides. J'y suis entré, il n'y avait personne. Je me demande à quoi elles servent. Ces paysans sont fous de se terrer dans des trous de montagne alors qu'il y a des baraques à moitié démolies, avec quelques murs.

— Où sont les prévenus? répéta le chef, et ce fut comme un écho. Où est Raho? Et Hajja, Bourguine?

L'inspecteur téléphona immédiatement à sa tête, en PCV. Il fut sur le point d'avancer des raisonnements impondérables, mais clairs et nets, ceux-là mêmes qu'avait développés récemment le ministre de la Justice à la télévision qui, durant une heure d'horloge, n'avait jamais perdu le fil de sa pensée éblouissante dans la forêt des chiffres et des virgules. Le ministre « ne rejetait pas d'emblée l'amendement 2-21 rectifié bis, qui portait sur l'article 7-A du projet de loi sur la criminalité, lequel tendait à remplacer l'article 165 du code pénal par des dispositions dont le garde des Sceaux voulait bien retenir le troisièmement mais pas le cinquièmement qui lui paraissait faire double emploi avec l'article L-267 du code de la santé, n'est-ce pas, mais... ». Oui, l'inspecteur Ali, respectueux des huiles, était tout prêt à se lancer dans des explications aussi rationnelles, mais il vit les yeux du chef — et de toute façon il n'y avait pas de caméra. Il dit, prosaïque :

— Trente-trois moins vingt, il ne reste plus que treize. Oui, chef. Hier soir, j'ai compté ces paysans. Avec nous deux, nous étions bien trente-cinq. Il reste sept adultes et une demi-douzaine d'enfants. Avec la chaleur qu'il fait et le temps qui passe, je crains bien que d'ici un petit moment nous ne soyons tout seuls sur cette montagne, avec notre mission officielle sur les bras.

— Où sont-ils? demanda le chef qui admirait son propre calme. Je parle de Hajja, de Bourguine et du commandant Filagare, non du menu fretin.

— Pas là, dit l'inspecteur. Rien qui leur ressemble de près ou de loin. J'ai bien entendu Raho sonner de son vieux cor de vache, mais il n'est nulle part, son bourricot non plus. Peut-être ces gens-là sont-ils allés à la recherche de quoi nous sustenter. L'hospitalité est sacrée.

Il y eut une pause. Le soleil grésilla, deux poumons se remplirent d'air chaud et l'expurgèrent jusqu'à l'ultime bouffée de fureur. Puis, sans élever la voix plus haut que le murmure, le chef dit :

— Je voudrais savoir : quelle est la différence entre un imbécile et toi?

Très vite l'inspecteur Ali évalua la distance qui le séparait de son supérieur et répondit sans hésiter :

— Oh! un mètre cinquante à peine.

Il ajouta sur les chapeaux de roues :

— C'est pourquoi l'imbécile te demande si on n'est pas dans le pétrin.

— Quel pétrin? Il n'y a pas de pétrin. Les gros bonnets ne sont pas là? et alors? Ils rentreront bien ce soir et je les cuisinerai ce soir. En attendant, va me chercher un de ces demeurés.

— D'accord, dit l'inspecteur. Tout de suite. Il y a quelque chose, chef, qui n'entre pas tout à fait dans la ligne de mes références, parce que je n'ai pas de références du tout. Depuis que le Central m'a réveillé hier matin, à six heures, alors que je dormais tranquillement aux côtés de mon épouse, je continue d'ignorer de quoi il s'agit. Quel est l'objet de notre mission, chef? Exactement?

— Secret d'État, répondit le chef. On ne confie pas un secret d'État à un haut-parleur de ton espèce, doublé d'un *Boujadi**.

— Ah! conclut l'inspecteur avec un large sourire. Comme ça, je comprends. Il faut quelque chose de grave pour que tu acceptes les vicissitudes du sort, l'inconfort infect et pas de confort du tout. Compris, chef, J'y vais.

* *Boujadi :* l'équivalent d'un paysan du Danube.

7

— Allez! Entre, toi! dit l'inspecteur à une ombre qui le suivait de près. Fais comme chez toi, ajoute ta présence à la nôtre.

Entonnant une brève action de grâces, il entra dans la caverne une espèce de peuplier à forme humaine dont le tronc, presque à hauteur de la cime, était à angle droit. Un paysan rugueux, très long et très mince, le visage empreint de gravité. Il avait une courte barbe noire et le crâne ras, bleu.

— Fais comme le chameau, lui ordonna l'inspecteur.

— Eh? demanda l'autre.

— Ploie les genoux, assieds-toi.

— Ah! bien, dit le paysan. *Wakhkha,* d'accord.

Il cracha dans ses mains, les frotta l'une contre l'autre en disant : « Au nom du Seigneur! », puis s'assit.

— Debout! lança le chef de police. Qu'est-ce que c'est que ces manières?

— Eh?

— Relève-toi!

— Ah! bien, dit le montagnard. D'accord.

Et, après une nouvelle invocation au créateur des montagnes et des hommes, il se redressa, comme un mètre pliant. Debout, la tête courbée et ses épaules soutenant le plafond, il surplombait ainsi le chef. Il ne fit rien d'autre, n'ajouta pas un mot. Son regard philosophique allait d'un policier à l'autre, tel un balancier du temps.

Le chef leva les yeux vers lui, à cent quatre-vingts degrés, et dit :

— Non-non! ça ne va pas du tout. Il y a quelque chose qui cloche.

— Eh?

— Rassieds-toi.

— Ploie les genoux, ajouta l'inspecteur.

— Ah! bien, dit le paysan. *Wakhkha,* d'accord. Toutes choses sont possibles avec l'aide de Dieu.

Et il se rassit tranquillement. Pendant ce temps, une demi-douzaine d'enfants de tous âges étaient apparus à l'entrée de la caverne, certains vêtus de haillons, d'autres nus en toute simplicité. L'un d'eux se décida à entrer et les autres le suivirent. Tous s'assirent, attendant le spectacle. Malgré les gestes furibonds que le chef faisait pour les disperser, ils s'agglutinèrent autour de lui, l'oreille tendue.

— Allez-vous-en! dit le chef. Allez-vous-en! cria-t-il. Dehors!

Pas un d'entre eux ne bougea, ne fit le moindre geste de compréhension. Leurs yeux étaient chauds, couleur de charbon et de confiance. L'inspecteur agita le bras en guise de chasse-mouches et dit :

— Kchch! kchch! Décampez, allez jouer, les petits! Ouste! Fichez le camp!

Ils gardèrent leur sang-froid natal. De la prime enfance à la puberté, aucun d'eux ne réagit au bruit des mots ou des cris, à l'exception d'un gamin malingre qui se mit à se gratter sous l'aisselle.

— Je vais me fâcher, hurla le chef. Et si je me fâche, ce sera pour de bon. Finie, la rigolade. Dehors!

Le montagnard émit un petit toussotement suivi d'une remarque :

— Ils aiment bien les histoires. Ce sont des gosses.

— Ce sont les tiens? demanda le chef.

— Il y en a. Les trois que voilà. Ils sont de mon sang et de

116

celui de leur mère. Les 'autres, c'est tout comme. Cousins et neveux, peut-être bien. Ils ne font pas de bruit, n'est-ce pas?

— Bruit ou pas bruit, dis-leur de décaniller. Du balai!

— Eh?

— Ça va être une affaire d'hommes entre nous, expliqua l'inspecteur. Tu peux leur dire de s'en aller avec leur enfance?

— Je peux.

— Eh bien, qu'est-ce que tu attends?

— Ah! répondit l'homme à la barbe. (Il y eut comme un bruit de locomotive chassant la vapeur — c'était sa façon de rire.) Ah! y a plus de honte en ce monde, monsieur. Ils connaissent les choses des adultes mieux que les adultes. Ah! haha!

— Dis-leur quand même de partir.

— Ah! bien. D'accord, avec la permission de Dieu.

Sans les regarder, il s'adressa aux enfants sur un ton plein de regret.

— Demain, leur dit-il. Il n'y a pas d'histoires aujourd'hui. Demain, *incha Allah!*

Lentement ils se levèrent et s'en furent, sans un mot, sans se retourner. Ce fut comme s'ils n'avaient jamais existé.

— Bon! dit le chef. Nous allons enfin commencer cette discussion amicale, afin de lier connaissance. La récolte a été bonne cette année?

— Eh bien, monsieur, Dieu a fait ce qu'il a pu. Les figues de Barbarie ont poussé toutes seules avec leurs piquants. Y a pas eu besoin de les arroser, comme tu sais.

— Et le blé? l'orge, le maïs? Les céréales?

— Eh bien, monsieur, répondit le paysan, n'en parlons plus et ce sera la fin des paroles. Ainsi va la vie.

— Bonne récolte alors?

— Monsieur, eh bien il vaut mieux que tu redescendes dans la plaine avec ton âme tant que tu en as une. Oui, peut-être bien.

Le chef qui avait manœuvré jusque-là avec les contorsions d'une couleuvre retrouva aussitôt sa langue de vipère, raide et prête à l'attaque. Sa main se ferma en un poing menaçant qu'il se mit à agiter à la façon d'un marteau visant un clou tordu.

— Qu'est-ce que tu veux dire par là, nom de Dieu?

— Ce que je dis, monsieur, répondit l'homme de la montagne sans se troubler. Allah est avec nous et il n'est avec personne. Pas de terre, pas de pluie ou si peu, pas de semence du gouvernement — et alors, monsieur, où peuvent bien se trouver ces bonnes choses de la vie dont tu parles, sinon dans ta tête pleine de vide? T'es un touriste? Pourtant, tu as une tête d'Arabe comme moi. Va savoir!

Le chef prit à témoin l'inspecteur, sur un ton d'incrédulité intense :

— Non mais... non mais, tu l'entends?

— Oui, ma foi, dit le paysan, il m'entend. J'ai une seule langue. Oh! je vois bien qu'il scribouille mes paroles avec un *lapiz**, mais ce que je dis est ce que je dis.

L'homme à la symphonie policière abandonna sans plus tarder le premier mouvement de l'interrogatoire pour sauter au final à pieds joints : un crescendo de décibels qui était l'expression des vraies relations humaines en cette fin de XXᵉ siècle. Dominants-dominés, et rien d'autre. Les salamalecs avaient pétrifié l'Orient, oh oui!

— Nom, prénom et plus vite que ça!

— Eh?

— Comment tu t'appelles?

— Ah! monsieur, pas besoin de crier. Mon nom est ton frère.

— Je n'ai pas de frère! Quel est ton nom?

---

* *Lapiz* : crayon à encre, du nom d'une marque de crayons fort répandue chez les épiciers et les maîtres d'école avant la guerre.

— Eh bien, monsieur, réponds à ma place et ta réponse sera la bonne. Sûrement.

— *Ladin babek!* Maudit soit ton père! Tu sais qui je suis? hein? hein?

L'homme de la montagne sourit pour la première fois. Ce fut un sourire sans malice, très lent, très patient.

— Oh! oui, monsieur, répondit-il. Tu es un homme qui crie et qui insulte tes hôtes.

Et, s'aidant des mains posées à plat sur le sol, il s'apprêta à se lever.

— Où vas-tu? Reste assis! C'est un ordre.

— Monsieur, le temps nourrit la vie et ma vie est en train de mourir d'inanition.

— Je... je suis, hurla le chef au comble de la fureur, je suis... un fonctionnaire du gouvernement.

— C'est ce que Hajja m'a dit. Peut-être bien.

— Je suis... je suis le chef de police... po... police d'État.

L'homme de la terre se mit à rire, comme à la vue d'une fleur inattendue poussant dans la pierraille.

— C'est ce que Hajja m'a dit, répéta-t-il. A cette heure, tout le monde le sait et au-delà du village. Et alors? Il n'y a toujours pas de pluie.

Sans aucun préliminaire, l'acte souverain annihilant tous les mots, en un seul et même geste le chef ouvrit son sac de voyage, en sortit un revolver et fit feu, n'importe où, sans viser. Avec lui, tirèrent et explosèrent les nouveaux maîtres du Tiers Monde atteints dans leur dignité humaine. « Chef! » cria l'inspecteur. La balle avait rasé la pointe de son oreille et il continua de répéter « Chef! » sur tous les tons, de la peur au soulagement. Et puis, la fumée se dissipa, les résonances du coup de feu s'estompèrent — et il ne subsista plus que quelques curieux, enfants, femmes et hommes, à l'entrée de la grotte. Quand ils eurent constaté qu'après tout il n'y avait ni mort d'homme ni fils d'Adam à l'agonie, ils disparurent lentement, suivis de leurs ombres. Ce fut comme si le soleil flambant au-dehors venait d'effacer tous leurs doutes. Resta le paysan toujours assis avec sa gravité, avec son crâne bleu et sa barbe noire. Il dit avec la voix de la destinée :

— La terre s'est secouée il y a quelques années, là-bas, loin d'ici, dans une ville de la plaine et de la montagne. Son nom était Agadir, je crois bien, d'après ce que les nomades du Sahara ont raconté. Ah! monsieur, il y en a qui sont morts, d'autres ont survécu. Mais ce ne sont pas les mêmes. Dieu est toute louange aussi bien pour les uns que pour les autres.

Le revolver avait visé la tête du paysan dès les premiers mots, puis son ventre, sa bouche d'où sortait la rébellion insensée, menaçait à présent son ascendance par-dessus son épaule, derrière lui, là, sur la paroi de la caverne, prêt à exterminer là, entre ses jambes, tous ses descendants à venir, humains, animaux et « chimpanzesques ». C'était ce que martelait le chef, tandis que battait une veine dans son cou, à éclater, gonflée de sang noir.

— ... La prochaine... la prochaine fois, je ne te raterai pas. Je te bute et j'en ai le droit, espèce de... espèce de sloughi!

— Ah! bien. D'accord. Si c'est *mektoub,* c'est *mektoub.* Tout est écrit dans le ciel, monsieur. Même toi.

— *Ladin mouk!* Chienne maudite de ta mère! Tu es en état d'arrestation! Séance tenante! Papiers!

— Ah! monsieur, dit l'autre sans élever la voix. Dieu seul sait qui t'a gonflé de la sorte, mais il ne faut pas souffler sur les gens. C'est inutile, ça ne renverse personne.

C'est à cet instant-là qu'intervint l'inspecteur, comme un coupe-feu, au moment même où son chef allait tuer pour de bon. Il avait fait ses armes dans nombre de manifestations urbaines, en civil, et il savait comment manier le gourdin ou la barre de fer contre les forces de l'ordre. Rien de plus facile ensuite que de noyauter le groupe de meneurs pour les attirer dans un traquenard. Il connaissait toutes les ruelles de la médina, il y était né, y avait grandi, y avait appris sa vie d'homme. Il avait tout pour lui : un vocabulaire argotique capable de faire dresser les cheveux sur la tête d'un Marocain, un costume râpeux, une tête de miséreux. Il chantait aussi bien *l'Internationale* en arabe que l'hymne palestinien ou celui du Polisario. Tant qu'il tapait sur ses collègues, il était content, sans une ombre d'orgueil ou de quoi que ce fût. Et, quand on lui amenait quelques interpellés dans son bureau, menottes aux poignets, il était content aussi. Où était la différence? Ah! bien oui! qu'est-ce que c'était ce travail? Qu'est-ce que c'était ce chef qui manquait d'humour? Sautant dans la manifestation à deux protagonistes, il s'adressa à son supérieur en français, le visage lissé par la soumission :

— *Ci rien qui di fretin, chif!*

Le chef le regarda avec stupeur, bouche ouverte. Son souffle montait et descendait avec un bruit de forge.

— *Di menu fretin di rien di tout, chif!* continua l'inspecteur très vite. *Sardine, sardine pourrite... Toi, li gros poisson, li malabar, voyons! Sacré d'État!*

Et sans plus attendre il se tourna vers le paysan. Ce faisant, sa figure reprenait instantanément son aspect populaire, *sui generis,* dernière catégorie sociale, troisième classe dans les chemins de fer. Sur le ton d'une engueulade au souk, il se mit à aboyer :

— Écoute, toi Untel au crâne pelé et Dieu constamment à la bouche! Ferme un peu ta gueule et tourne le petit doigt dans le trou de tes pavillons. Mon chef que voilà est un homme très important, d'une importance telle qu'il y a parfois des zèbres qui attendent des trois mois, des six mois et davantage avant qu'il daigne les recevoir et jeter un coup d'œil sur leurs dossiers. Et ils tremblent devant lui, faut voir! Qu'est-ce que tu es, toi? T'as même pas de dossier! C'est pas possible que tu sois bouché de la sorte avec de la bouse de vache dans les oreilles et tout partout.

Le montagnard écoutait et regardait ce crieur public, essayant d'interpréter les clins d'œil qu'il lui lançait, les rictus de sa bouche, cette espèce de rigolade muette qui agitait sa face de tics et qui rétablissait ses paroles dans le bon sens. Et, à mesure qu'il comprenait, s'élargissait son sourire. Il dit :

— Toi, je te comprends. Je te comprends parfaitement. Tu parles en arabe, c'est-à-dire poliment.

— Alors ferme ta gueule et écoute ce que je te dis. Comment? voilà un homme du gouvernement et de la police qui a pris la peine de monter jusqu'à ton trou et c'est comme ça que tu le reçois? Si je n'intervenais pas en ta faveur, tu resterais galeux à jamais. Tu l'auras bien mérité, vous l'aurez tous mérité, bande de fèves! Et dire que le chef est venu ici pour vous aider!... Allez, crache par terre!

— Tu connais la coutume, toi, dit le paysan.

Et il cracha. L'inspecteur graillonna à son tour avant de faire face à son chef, la mine de nouveau service-service-camarade-après.

— *Ji gratte sardine pourrite, chif? Et toi après ti attrapes gros poisson comme ça baleine avec la chtrouille? D'accord, chif?*

Épuisé par la fureur qui finissait de fuser, le dos en sueur et la langue sèche, le chef de police hocha la tête. Deux fois.

— *Alors d'accord, chif. Ji vais lui vider les tripes à cteu oiseau. Ti vas voir li travail, chif!*

Ah! bien oui! Qu'est-ce que c'était, ce chef? Propulsé vers le sommet au lendemain de l'Indépendance, parce qu'il avait fallu combler les trous à chaux et à sable et la plupart du temps en creusant d'autres trous, que pouvait bien connaître cet homme sinon le sentiment dramatique de sa propre importance? Comme tous les autres chefs dans nombre d'administrations, il n'en revenait pas depuis des années d'occuper de si hautes fonctions et de disposer du pouvoir, c'est-à-dire de la loi et de l'exécution de la loi. Ailleurs, dans d'autres bureaux, il y avait ses pareils, tous chefs : religieux promus magistrats parce qu'ils savaient par cœur ou tout comme deux ou trois chapitres du Coran; histrions et hagiographes présidant aux destinées de journaux, de la radio, de la télévision, des arts, des séminaires et de l'Association des écrivains méritants; secrétaires généraux, directeurs, offices, papiers, paperasses... Toute une pléthore de chefs composant un arbre de fer, un appareil rigide dans les deux sens : vertical et horizontal... « Ferme ta boîte à pensées, se dit l'inspecteur avec colère. Un de ces jours, tu les exprimeras à haute voix et alors, fils de ta mère... Et d'abord, ça t'avance à quoi, hein? Qu'est-ce que tu es, sinon une courroie de transmission? Un dominant et un dominé à la fois, le juste milieu, quoi!... comme le doigt entre le clou et le marteau? On te tape sur la gueule et tu tapes sur celle des gars en dessous de toi... C'est ça, la police. C'est ça, ton travail, pauvre petit inspecteur. Allez, arrête de penser. Fais vite, le chef te regarde. »

— Tu lui parles en roumi? demanda le paysan en désignant le chef du pouce. C'est ça, votre travail?

— Hein? dit l'inspecteur. Oui, je lui cause dans la langue des Romains et est-ce que ça te regarde? Lui et moi, on se comprend ainsi, c'est officiel. C'est comme la main droite et la main gauche. Tu saisis?

— Non.

— Ça ne fait rien. Parlons d'autre chose, mon frère. Le chef a dit comme ça : papiers. Tu as des papiers?

— Il y en avait dans le temps, répondit le montagnard. Hajja s'en est servie pour allumer le feu. Des vieux cartons.

— C'est pas ça, dit l'inspecteur avec patience. Écoute voir : dans les villes les gens ont toute sorte de papiers plein leurs poches.

— On n'est pas à la ville, mon gars.

— Je vais t'expliquer. Donne-moi la main, mon vieux. C'est des papiers et c'est aussi des cartes qu'ils ont, tu comprends?

— Non, dit le paysan. Tes paroles n'arrivent pas jusqu'à ma tête.

— Je vais t'expliquer, répéta l'inspecteur, tenace. Il y en a des roses, des bleus, de toutes les couleurs. Il y en a pour conduire une automobile, deux : une carte grise pour avoir cette automobile et une rose pour la mettre en route. C'est simple.

— Je n'ai pas d'automobile, dis donc! Il y a juste une mule et un bourricot par là, va voir. Et essaie donc de leur présenter du papier pour les faire bouger! Tu es un rigolo, toi.

— Patiente avec ton âme, mon frère, l'exhorta l'inspecteur en s'essuyant le front. Bon! Tu n'as pas de permis, tu n'as pas d'automobile, je n'y peux rien, moi. Mais il y en a dans les villes, ça circule, faut voir! Parlons d'autre chose. Approche-toi. Écoute.

— Ah! bien. D'accord.

— Il y a d'autres papiers, des quantités. Une carte d'électeur par exemple, hein?

— De quoi tu parles? Je ne comprends pas le roumi.

— Bon. Tu ne votes pas non plus. Passons. On va avoir une journée torride, dis donc!

— Pas plus qu'hier. C'est l'été. L'hiver, il fait moins chaud.

— Oui. Bon. Sautons le verset des assurances sociales et la sourate des allocations familiales, car le gouvernement ne te donne rien en tant que père de famille? n'est-ce pas?

— Je ne connais personne au gouvernement. Il y a par contre une paire de fils d'Adam qui viennent une fois par an nous prendre les bêtes pour l'impôt.

— Je sais, je sais! l'apaisa aussitôt l'inspecteur. Ne te fâche pas. C'est de l'histoire ancienne. De toute façon, ils ne viendront plus, vous n'avez plus rien à leur donner. Mais dis-moi : il y a également le livret de famille. Tu es bien marié?

Le paysan découvrit les dents jusqu'aux gencives, en un sourire de commisération.

— Regarde où tu mets tes pieds et tes paroles, répondit-il.

124

Et comment j'aurais pu avoir, à moi tout seul, les trois gosses que tu as vus tout à l'heure?

— C'est juste, dit l'inspecteur. J'avais oublié. Les femmes sont nécessaires dans ce cas. Elles font leur devoir et le plaisir. Faut ce qu'il faut. Santé, mon frère! Bonheur et abondance! Je t'en souhaite cinq ou six autres. Tu es dans la force de l'âge, à ce que je vois. Alors comme ça, c'est écrit quelque part, que tu es marié, hein? Sur un petit grimoire de notaire... un livret de famille comme on dit dans l'administration moderne?

— Oh! monsieur, non! répondit le montagnard. Ici, c'est le pays. Il n'y a rien eu à scribouiller. Personne ne sait scribouiller, du reste. Nous avons tous récité proprement un petit chapitre du Coran après nous être lavé le visage et les pieds, selon la coutume. On a chanté, dansé, et puis mangé. Et alors, avant d'entrer sous la tente (j'avais une tente en ce temps-là), j'ai dit à ma femme : « Zohra, fille des Bani Mellil, je te prends pour épouse. C'est juré. » Je lui ai donné ma langue, comprends-tu? Elle m'a donné la sienne aussitôt. Elle m'a dit, les yeux baissés comme il faut : « Ali, fils des Aït Yafelman, tu seras mon mari. Je le jure aussi. »

— Par Allah et le Prophète! s'écria l'inspecteur, les yeux soudain allumés. Tu t'appelles Ali comme moi?

Il lui donna l'accolade, le congratula chaudement, lui tapotant le dos, l'appelant cher cousin. Dans une espèce d'allégresse, il se tourna vers le chef.

— Il s'appelle Ali comme moi, chef! C'est pas possible.

Il avait oublié sa présence, à celui-là, ma foi. Qu'est-ce que c'était, ce chef? Tuer les gens avant l'enquête, ah! bien oui! Et après, se torturer les méninges dans un bureau pour écrire dans la langue officielle, en tapant avec deux index sur cette vieille *makina tomatik** de chien, des pages et des pages sur ce

---

* Machine à écrire automatique.

qu'aurait dit ou aurait pu dire le cadavre volontaire avant de perdre le ciboulot et de faire subir des violences à un officier de police dans l'exercice de ses fonctions. Car c'était cela le plus dur, le plus inhumain dans le métier : écrire, créer, faire galoper l'imagination dans la steppe des mots et le Sahara des idées. Bien sûr, bien sûr! on avait sa récompense au terme de cette fantastique chevauchée intellectuelle. Le travail achevé à bride abattue, on avait la satisfaction de pouvoir prendre à deux mains le manuscrit format 21 × 29,7, des feuillets proprement dactylographiés en simple interligne qu'on égalisait sur le bureau, du côté de la tranche, à petits coups martelants. (Jusqu'à une époque toute récente, on tapait en double interligne, avec une grande marge, pour « aérer », précisait le Règlement. Et puis, l'instruction et les stages de formation avaient fait irruption dans la police. Plus besoin par conséquent de gaspiller tant d'espace entre deux lignes et deux yeux... De surcroît, une note affichée dans toutes les administrations ne proclamait-elle pas la nouvelle politique du gouvernement, c'est-à-dire l'austérité?)

— Ali, chef, répéta-t-il. Fais-lui une petite place d'ami dans ton programme d'aide aux paysans sous-développés. Ali, qu'il s'appelle, chef. Il mérite bien un petit *bakchich*.

Le chef ne l'honora pas d'un regard. Il avait posé son revolver à portée de la prochaine colère et, la tête d'argile, il relisait les notes qu'il venait de prendre, son porte-mine suivant les mots à la trace, ligne par ligne. Ses lèvres remuaient en silence. Il dit enfin, sans lever la tête :

— Ralentis tes paroles.

— Quoi?

— Tu vas trop vite, j'ai peine à te suivre.

— D'accord, chef. Je vais rétrograder les vitesses. Et toi, dit-il au montagnard, vas-y mollo, au petit trot. Nous avons toute la journée devant nous. Rien ne presse.

Le fils de la terre écarquillait les yeux depuis un bon moment.

Sa bouche s'ouvrit pour exprimer une certaine incrédulité :

— Comment ça, ô mon pays? Cet homme commence par me tirer dessus et le voilà qui parle à présent de me donner du *flous?* Jadis, on semait du blé et on récoltait du blé. Pas des mulots. Hé! ne montre pas les dents, mon gars.

— Il ne t'a pas tiré dessus, voyons! Ne crois pas ça, mon frère. Ali! Réfléchis, Ali! C'était tout simplement pour assouplir ses doigts. Tous les matins c'est pareil. Il doit se rendre compte si son arme fonctionne bien. Tu comprends?

— Non. Cette chose n'a pas de nom.

— Écoute voir, toi! Tu as confondu deux choses différentes dans ta tête, tu les as mélangées : primo, la main du chef doit être huilée, c'est-à-dire pas rouillée par une nuit de sommeil, et ce pistolet doit tirer comme il faut, tous les jours que Dieu fait; deuxièmement, tu as eu avec le chef des mots qui ont grimpé sur d'autres mots et puis la colère est montée comme du pain au levain et regarde comme agit le hasard : c'est juste à ce moment-là que le chef a pensé à essayer son arme. Ne va pas mélanger la tête du chien et sa queue, voyons! Tu es un adulte avec trois enfants qui vont devenir adultes à leur tour, avec la permission de Dieu!

— Ah? dit le paysan, un œil clos, l'autre grand ouvert. Ah bien! D'accord comme ça. Peut-être qu'il regrette son geste?

— Lui, regretter? Mais il n'y a rien à regretter, tête de mule... mon frère! Je te dis... je te dis qu'il aurait tiré de toute façon, même si tu n'avais pas été là.

— Mais j'étais là.

— C'est comme si tu n'y étais pas. C'est simple. Oublie.

— Ah? Ah bien! D'accord, toi. Et tu dis qu'il va me donner de l'argent?

— Si ça se trouve. Hmmm! si ça se trouve.

— Alors qu'il m'en donne tout de suite et la bénédiction de Dieu soit sur lui à l'instant même. Pas la peine de palabrer plus longtemps. Dis-lui qu'il y a des lunes et des saisons que je n'ai pas vu un cuivre ou un nickel. Parle-lui en roumi, il comprendra plus vite.

Et il tendit les mains ouvertes en coupe.

— Non, non, dit précipitamment l'inspecteur. Là encore, tu réfléchis avec ta tête de paysan. Si c'était moi qui distribuais la manne, il n'y aurait pas tant d'histoires, par Allah et le Prophète et le Prince des croyants qui nous gouverne depuis l'un de ses palais, du haut de chacun de ses trônes, parce que forcément il a un trône dans chacun de ses palais, Dieu le garde et le protège. Dis amen!

— Amen! dit le paysan.

— Ce n'est donc pas moi, poursuivit l'inspecteur. Je vais gratter le cuir de bouc qui recouvre ta cervelle et te faire entrer dans la tête la manière dont agit l'administration. Tu sais ce que c'est, l'administration?

— Non.

— Ça ne fait rien. Imagine-toi une grande maison de la ville, pleine de gens bien habillés, bien nourris et qui vivent entourés de tas de papiers. Il leur faut des papiers. Et tu n'en as aucun. Donc tu n'existes pas pour eux. Voilà l'histoire. Tu n'es pas né, tu ne vis pas, tu n'es même pas mort. C'est triste, hein? Comment on va faire? Tu as une idée ou une racine d'idée?

— Non, répondit le montagnard, les yeux exorbités. Et toi?

— Moi non plus.

— Alors, conclut le paysan, ne parlons plus de cette fortune. C'est pour les riches, pas pour nous autres. Il y a des marmites qui bouillent et rebouillent, il y en a d'autres qui sont toujours vides. C'est ainsi. Que ta journée soit paisible, mon frère! Je vais m'en aller.

— Reste là, dit l'inspecteur. Ta femme, c'est pour ce soir. Tu as le temps. Tu n'arrêtes pas de lui faire *zouc-zouc*. Laisse-la se reposer un peu, voyons! Si je te disais que je n'ai pas « chosé à la chose » depuis trente-six heures par la force des circonstances...

La voix du chef se fit soudain entendre, venant du fond du puritanisme officiel.

— Tu t'égares, inspecteur Ali!

— Quoi?

— Tu es vulgaire. Et, en plus, tu t'écartes du chemin.

— Ne crois pas ça, chef, protesta l'inspecteur. Tous les chemins mènent en prison. Et puis, je connais les raccourcis.

— Assez! dit le chef.

— Mais, chef, c'est une manière comme une autre d'arriver au but. Il y a les autoroutes et les sentiers de mule. Quand les questions deviennent abstraites, c'est-à-dire quand elles se relâchent si tu vois ce que je veux dire, eh bien il n'y a pas de mal à les épicer un peu. De quoi les faire bander, quoi!

— J'ai dit : assez.

— Oui, chef, tu l'as dit. J'en suis témoin. Mais je connais les paysans de chez nous. Je suis comme eux. Moi, quand on m'excite avec ce que tu sais, ma langue se délie. Va savoir pourquoi. C'est dans la nature humaine, probablement. Ce gars-là, la seule activité qu'il puisse encore avoir librement dans notre pays, c'est la bagatelle. *Zouc-zouc.* N'est-ce pas, mon frère?

— Ah! bien, répondit le paysan avec un sourire épanoui. Tu connais l'âme, toi.

— Comme ça, dit l'inspecteur. Un petit peu. Ça aide à traverser la vie. S'il n'y avait pas la chose, mon cousin, je me demande comment marcherait le commerce. Il y en a qui émigrent rien que pour...

— Assez! hurla le chef, couleur de rate. Fous-le dehors!

— Mais, chef, l'interrogatoire n'a pas commencé vraiment. Je n'étais qu'aux travaux d'approche, *la mort atomique* *, comme disent les poètes qui écrivent des poésies. Dans un

---

* Je crois que l'inspecteur voulait dire : « l'amour platonique », mais je ne saurais l'affirmer.

petit moment, le drapeau va se lever, le lapin va sortir du chapeau.

— Débarrasse-moi de cette vermine sur-le-champ... immédiatement, bon Dieu!... sinon, je jure par les Turcs et les Grecs que je... que je... dehors!

— Tu as entendu? il a dit dehors! dit l'inspecteur au montagnard avec une grande sévérité. Alors, dehors, *fissa*. Fais comme le chameau après une bonne sieste, déploie les genoux et va-t'en de là. Hors d'ici, espèce de macho sans papiers! Décampe avant que deux plus deux ne fassent plus quatre. Allez, va retrouver ta bonne femme. Trotte, galope!

Tour à tour, longuement, le paysan considéra les deux policiers. Puis il se leva lentement et s'en fut, long comme un tronc d'arbre, entonnant sous le soleil une invocation au créateur des simples d'esprit et des déments.

A partir de cet instant-là, le chef de police se mit à réfléchir sérieusement sur cette fichue enquête de nom de Dieu — et sur le sens de la vie en général, le cas échéant. Pendant deux heures il fit le point de la situation, en comptant mentalement sur ses doigts, assis, les yeux fermés, luttant ferme contre le sommeil, et la conscience à feu et à sang. Au cours de ces deux heures, l'inspecteur Ali lui parla trois fois, à intervalles espacés. Voici ce qu'il lui dit :

1) Si du moins je savais sur qui ou sur quoi on enquête dans ce bled.

2) Bon. Je crois que je vais faire un petit tour pour passer le temps.

3) Tu dors, chef?

Perdu dans ses pensées en vrac qu'il lui fallait relever comme autant de ruines et reconsolider avec le seul ciment dont il disposât, soit la volonté, le chef de police ne lui accorda pas un regard.

(Entre la deuxième et la troisième remarque, l'inspecteur avait eu largement le temps de descendre au village afin de bavarder avec quelqu'un, oh! n'importe quelle créature avec quatre membres, deux oreilles et une langue! La conversation lui manquait, les relations humaines. Il n'aimait guère le drame et, à sa connaissance, aussi bien en ville que dans les champs, il n'avait jamais trouvé trace d'humour lors des funérailles. Il se souvenait vaguement d'un certain « Racine ben Athalie » et des serpents qui sifflaient au-dessus de sa tête, à l'époque où il occupait tout un banc d'école près de la porte. Mais cela c'était le passé et, grâce à Allah clément et miséricordieux, grâce aussi à la police, il n'avait plus besoin de tailler les crayons. C'était vrai, quoi! il y en avait marre, il y avait une limite à tout, même dans un commissariat. L'inspecteur ferait sa propre enquête, à partir de rien et on verrait ce qu'on verrait! Que le chef gardât tous les éléments dont il disposait, le pourquoi et le comment et le sens giratoire! Qu'il en crevât, égoïste qu'il était! Lui et ses pareils, les grands chefs, dans toutes les administrations et même dans les fédérations de football, n'avaient qu'une seule et même politique : garder tout pour eux, mâcher et remâcher leur « chefferie ». Des inspecteurs comme lui, des cadres, des adjoints — ne parlons pas des derniers échelons de l'échelle! —, ne pouvaient et ne devaient rien faire d'autre que le plein d'essence ou lacer les godasses des patrons, les écouter, les approuver, les admirer, porter leurs valises. Les Français étaient partis, mais demeuraient les esclaves — portiers, domestiques, secrétaires, petits intermédiaires coincés à jamais entre les nouveaux maîtres .du Tiers Monde et le peuple. Oui, par Allah et le Prophète, il mènerait ses propres investigations sous le soleil torride, ne fût-ce que pour faire la connaissance des habitants de ce village. Et, depuis trente-six heures qu'ils étaient sur les lieux, ni lui ni le chef n'avaient été capables de glaner le moindre renseignement sur leur vie, leurs désirs et leurs besoins. Non par simple curiosité policière, mais pour connaître l'état du pays. C'était ainsi et pas autrement que l'inspecteur Ali donnait un sens à sa profession. Et, à cette heure, que savait-il en définitive de ces montagnards? Deux fois zéro égale zéro et des raclures et des rognures. Qu'est-ce que c'était ce travail : poser des questions, recevoir des réponses et les noter en même temps sur un vieux calepin avec un porte-mine en or? A quoi avait abouti cette politique de plumitif? A une simple petite coïncidence dans une meule de foin : un paysan se prénommait Ali, comme lui. Haha! Hoho! A ce rythme-là, il fallait compter deux ou trois ans pour mener à bon port cette mission officielle dont il ne savait pas un traître mot...

Par *Allah akbar* comme disait l'imam Khomeiny, la véritable enquête digne de ce nom était *orale*, tout comme la culture orale du pays ou le *zouc-zouc*. On n'abordait pas les gens avec un carnet à la main, voyons! Encore heureux que le chef n'eût point songé dans sa paranoïa à transporter une machine à écrire! L'inspecteur sourit comme un âne des djebels en se voyant installer une *makina tomatik* dernier modèle sur une pierre de la montagne et disant à un fils de la terre : « Patiente avec ton âme, mon pays! Attends un peu, que j'enroule deux feuilles de papier et un carbone sur le clavier. Vas-y maintenant, je t'écoute. Et sois bref, j'ai pas beaucoup de papier. »

Il éclata franchement de rire et puis il vit Hajja. Le hasard était grand, ma foi! Elle était là, apparemment inoccupée, à un jet de parole de la caverne, comme si elle l'attendait pour converser un peu. Il la salua avec respect, lui embrassa les mains selon l'ancienne tradition anti-œdipienne, l'appela « Petite mère », « Mamma ». Il était si heureux de la voir! Tout plutôt que la tête officielle de son chef. Un instant, il songea au devoir et à la discipline — et il faillit traîner Hajja devant son supérieur puisqu'elle faisait partie des gros bonnets. Il lui eût été si facile de la « cravater » rien qu'en lui donnant la main, si elle avait opposé la moindre résistance à sa requête. Mais peut-être la pâte n'avait-elle pas encore eu le temps de lever. Il ne fallait surtout pas déranger le chef Mohammed dans ses cogitations. Il finirait bien par pêcher une petite idée, ou à tout le moins par attraper le diable par la queue. Oui, la patience pouvait faire germer des pierres, à condition de savoir attendre. Ne disait-on pas depuis les Croisades, surtout chez les Français, que la qualité essentielle des Arabes était la patience? Ils disaient même : le fatalisme. L'inspecteur Ali était un Arabe de père et de mère et d'ancêtres, et non un de ces détectives américains des feuilletons TV de série B, voyons! « Voyons, se dit-il, ce n'est pas mon enquête à moi. Je ne sais même pas de quoi il retourne. Je m'en fous monarchiquement et administrativement. Tout ce qui m'importe, c'est de me croiser les bras, de bouffer et de passer entre les gouttes. Quand le chef récoltera peau de balle, eh bien si ça se trouve je prendrai cette enquête en main, à ma manière. D'ici là, je ne fais rien. Je suis un véritable Arabe. Que le chef se débrouille avec ses pensées et son revolver! Je serais bien content s'il se tirait une balle dans la tête, ah oui alors! »

Étrangement, Hajja n'avait pas les mêmes yeux que la veille, ni même que ce matin-là lorsqu'il avait discuté avec elle à propos de boutons d'uniforme. Il lui sembla qu'elle détournait le regard. Le soleil était face à elle en ligne droite, probablement. C'était certainement là l'explication, aussi sûrement que trois plus quatre... Elle n'avait pas non plus envie de bavarder. Elle le lâcha au milieu d'une phrase longue comme un boa dont il n'arrivait pas à démêler les anneaux. Et elle s'en fut, sans même lui dire au revoir, ou à tout à l'heure pour le déjeuner. Ses pieds nus tapèrent le sol droit devant elle, à pas pressés et agiles. Tout autour d'elle, la poussière se souleva et retomba lentement, ténue.

— Bah! se dit-il. Elle se creuse sans doute la tête pour savoir comment accommoder les os de la veille. Elle aurait pu m'en parler, tout de même! Je lui aurais communiqué quelques recettes qu'employait ma mère. Des fois, dans le four, elle nous préparait de bons petits plats rien qu'avec des épluchures. C'était le bon temps!

Il poussa un long soupir, rabattit son capuchon pour ne pas attraper de coup de soleil et se mit à descendre le sentier tortueux qui menait vers la place du village. Le chef n'en mourrait sûrement pas. Et puis, ses pensées n'étaient-elles pas lentes? « Ali, que lui as-tu dit? Réfléchis, mot pour mot. Tu lui as dit : je crois que je vais faire un tour? ou bien : que je vais faire un *petit* tour? » Les souvenirs de l'inspecteur étaient chauds et, sous le dôme flambant du ciel, en peu de temps ils se consumèrent allègrement. Ce fut comme s'ils n'avaient jamais existé.

— Le chef comprendra, conclut-il à haute voix. Il a la tête. Un tour, c'est un tour, petit ou grand. C'est pareil.

Raho était en train de manier la pioche, essayant de creuser un trou dans la terre aussi dure que la civilisation. Patiemment, sans se presser, sans une seule goutte de sueur sur le front. Comment faisait-il pour ne pas être en eau? Il saisissait l'outil à pleines mains, le levait au-dessus de sa tête et répétait « Allah! » comme d'autres diraient « Han! han! » ailleurs, en d'autres pays sans traditions religieuses. « Allah! » assenait-il, et la pointe de la pioche mordait le sol, et fusaient à chaque coup deux ou trois étincelles et quelques gravats.

L'inspecteur s'arrêta, le regarda travailler pendant un long moment et dit :

— Il te faudrait un marteau-piqueur, grand-père. Un de ces engins qui font bzzzzrrr-bzzzzrrrriiiikk! à trouer les chaussées et les tympans. Il y a des terrassiers modernes qui s'en servent en ville, surtout l'été, à l'époque des touristes *lamirikanes*. Comme ça, les *Lamirikanes* se rendent bien compte qu'on emploie leur matériel et qu'on travaille dur, nous autres. Et que les Arabes, c'est pas du tout des Indiens avec des plumes ou des figurants enturbannés d'*Ali Voud**. Ah! ce que je rigolais bien en voyant leurs films dans le temps! C'est pas possible, ce que nos frères du ciné pouvaient à la fois être si riches et avoir des gueules d'assassins! Et baragouinant avec ça une de ces langues de bois que, même moi, je n'entravais que dalle, je ne bitais rien de rien. Les bras des gars dont je te cause n'arrêtent pas de trembler, même la nuit. Forcément, avec leurs marteaux-piqueurs. Paraît que leurs bonnes femmes font chambre à part, vu que le lit conjugal n'arrête pas de sauter. C'est des anciens paysans qui sont descendus de leurs montagnes pour gagner de quoi s'acheter une télé et pour se promener en famille dans les supermarchés, à la fin de la semaine. Mais je parie que tu ne sais pas ce qu'est une télé, hein?

— Aha! répondit Raho en chassant ce flot de paroles par un demi-cercle de la pioche, de haut en bas.

— Oui, expliqua l'inspecteur en salivant abondamment. J'ai discuté en frère avec quelques-uns de ces gars, histoire de leur demander leurs papiers d'identité, leurs cartes de travail et tout ça. Et pour voir s'ils étaient inscrits au bon syndicat. Tu sais pas ce que c'est, un syndicat? T'as bien raison, mon oncle. Et puis, quand il y a un cortège officiel, faut vite dégager les lieux, pas de terrassiers, pas de miséreux. Il faut camoufler les trous vite *fissa*, parfois avec des bâches, souvent avec des drapeaux. La camionnette de service est toujours à proximité, au coin de la rue, devant celle de la télé. Faut ce qu'il faut, hein? Tu connais pas la ville, papa, alors je t'explique. Faut pas chercher plus loin derrière les mots. Une rue pavoisée

---

* Hollywood, je crois.

à ras de terre, c'est très joli, ça économise les tapis rouges. On ne voit pas des choses pareilles dans les pays des Nazaréens et des sans foi. Tu me croiras ou non, grand-père, mais ces fils des champs ne se souviennent même plus de ce qu'on appelle une charrue du bon Dieu! Est-ce un bien, est-ce un mal? Je l'ignore, je ne fais jamais de politique. Mais tu ne sais pas ce que c'est, la politique, n'est-ce pas? Ces types sont devenus amnésiques et je me demande depuis quand. Par contre, ils te causeront des *choppers* trafiqués de toutes pièces comme pas un loubard japonais du Japon... de ces motos à guidon relevé comme les brides des chevaux d'autrefois. Tiens, mon chef qui est là-haut... Oui, bon, n'en parlons plus. Tu vas pouvoir y arriver avec ta petite pioche de charbonnier, dans ce roc et sous ce soleil de Belzébuth?

— Je ne sais pas, répondit Raho. Il faut creuser.

— Oui, évidemment. Bien évidemment. Si on ne creuse pas, il n'y aura pas de trou, pas le moindre. C'est pour planter un palmier-dattier?

— Oho, non. Je fais juste un trou.

— Quel genre de trou?

Raho le regarda dans les yeux et dit avec une grande simplicité :

— Une tombe.

— Une tombe? Par Allah et le Prophète, quelqu'un est mort au village pendant que je dormais tranquillement?

— Oho, non. Pas encore.

— Qu'est-ce que tu veux dire par là?

— L'homme naît, vit ce qu'il vit, et puis il meurt, expliqua le montagnard. Il faut être prêt pour la mort comme pour la naissance. Alors je creuse une tombe pour celui qui mourra.

— Et qui mourra? qui va mourir?

Raho interrogea lentement l'horizon de l'est, celui de l'ouest, le ciel où étaient inscrites les destinées humaines, la terre sur laquelle il se tenait debout. Puis il leva trois doigts et les replia l'un après l'autre, tandis qu'il répondait avec douceur :

— Je ne sais pas trop. Peut-être un homme. Peut-être deux. Peut-être un troisième homme. Dieu seul le sait.

— Oui, bien sûr, dit l'inspecteur qui eut un brusque frisson de chaleur. Évidemment. Tu es âgé et tu prévois ta future demeure. Mais...

Il discourut durant une bonne dizaine de minutes sur l'air pur de la montagne, la nourriture saine, l'absence des guitares électriques et du rock des punks, le calcium naturel qui composait les os des paysans et la suite et les *et caeetera*. Il n'obtint pas un mot d'approbation, plus un regard d'intérêt. Il finit par y renoncer ou, plus exactement, il abandonna Raho aux mains augustes de Dieu qui seul devait connaître la réponse. Et, au moment de s'en aller philosophiquement, il se souvint tout à coup. Il dit sur le ton d'une conversation entre deux amis de longue date :

— Tu n'aurais pas vu par hasard un fusil qui traînait par ici?

Le vieux montagnard laissa se reposer sa pioche et demanda, comme éberlué :

— Un fusil?

— Oui, plaisanta l'inspecteur Ali. Un truc avec une crosse et un canon, tu sais bien. La crosse est en bois, le canon en métal. Un fusil, ça s'appelle.

— Un fusil? répéta Raho comme un écho.

— Oui, lui-même. Ça tire, ça fait mal, ça ôte la vie du bon Dieu. Tu ne l'aurais pas rangé quelque part à l'abri, de peur qu'il ne rouille ou qu'un gosse inexpérimenté, en toute innocence bien sûr, pour s'amuser bien entendu, n'aille tirer avec sur les adultes du gouvernement et de la police, comme ils le font parfois en ville?

— Aha? Ils s'amusent comme ça en ville?

— Ça arrive, dit l'inspecteur, ça arrive. Et on est obligé de les coffrer à l'âge du certif. Ils ne savent pas ce qu'ils font. On commence par le hasch de chez nous, le kif, et puis on évolue : les BD, le Kung Fu, les *fix* et le *speed*. Leurs parents regardent la télé. Ils bouffent pas ou si peu, mais ils ont leur sacrée télé. Alors forcément ils n'ont guère le temps de distribuer à leurs garnements les taloches du Moyen Age grâce auxquelles, nous autres, nous avons pu nous maintenir en vie, moi au gouvernement et toi sur ta montagne. Alors comme ça, commandant, toi qui connais la valeur des coups durs et des armes, tu as mis ce vieux fusil boum-boum hors de portée des parricides? C'est bien ça?

Raho sembla réfléchir. Il considéra la pioche, le visage de l'inspecteur, la tombe qui prenait forme sous ses pieds. Puis il dit avec une note de tristesse :

— Le fusil pour les perdrix?

— C'est bien ça! s'écria l'inspecteur, joyeux. Où est-ce qu'il se trouve à l'heure qu'il est?

— Par là.

— Où ça, par là?

— Là.

— Où ça? Lève le bras, et indique-moi l'endroit, approximativement.

— C'est loin, dit Raho. Je te le rendrai ce soir. Il y a le temps.

— Pourquoi pas maintenant?

— La tombe n'est pas encore achevée. Il y en a pour tout l'après-midi.

— Mais tu me le donneras ce soir? Promis? par Allah et le Prophète?

Raho le regarda longuement, la face parcourue de frissons, et c'était comme s'il faisait des efforts intenses pour retenir ses larmes. Puis il renifla et, avec toute la bonté émanant à la fois de ses yeux et de sa voix, il dit :

— Hier, tu m'as demandé l'hospitalité de Dieu. Tu peux donc te fier à ma parole. Elle n'a pas changé.

Et ce fut tout. La pioche se leva avec le poids lourd du destin et résonna sur le roc, faisant éclater le mystère de la mort en éclats de pierres et de pensées. En dépit d'un interrogatoire très serré, mais plein d'affabilité, de pâte d'amandes et de miel, et qui dès les prolégomènes sortit de l'ornière des faits rationnels et desséchés pour se noyer aussitôt dans le marécage ésotérique des grands thèmes universels, tels « l'irréel de la terre et des cieux et de ce qu'il y a entre eux » ou ces « paradis et enfer qui ne sont rien d'autre que des jouets pour petits enfants, voyons, Raho! faut ce qu'il faut, grand-père! faut que la religion marche au quart de tour, voyons! », l'inspecteur Ali ne tira plus un mot du montagnard, aucun renseignement complémentaire sur la tombe qu'il était en train d'approfondir méthodiquement, ni même sur l'identité approximative de celui qui allait mourir, pas la moindre fiche signalétique, aucune coopération — rien d'autre que des ponctuations d'acier trouant le sol. Arrachées à la mère nourricière, les pierres voltigeaient comme autant de réponses d'une seule et même syllabe métallique.

Quand il se rendit compte que les gravats arrivaient à présent au niveau de ses chevilles, il se décida à s'en aller. A contrecœur, au milieu d'une phrase incantatoire où il était question d'un homme coincé entre deux mirages : l'un qui le poussait dans le dos et qui était la mort, l'autre étant l'horizon de la vie qui reculait sans cesse. Il se demanda où diable il avait pu dénicher dans sa carrière de policier cette tirade fort sinistre, rimée et rythmée comme un verset du Coran — et dont il ne comprenait pas tout à fait le sens, même en la traduisant en un langage simple et concret : l'argot marocain. Triste et orphelin, il se mit à grimper le sentier de montagne. Et, à mesure qu'il remontait vers la caverne et le devoir, il soliloquait sur le taux actuariel brut. Par Allah et le Prophète, lui-même ne sut jamais par quel processus mental il avait pu cheminer si rapidement de la spiritualité au capitalisme. A un moment, comme il essorait ses méninges pour en extraire une pensée cohérente sous le soleil ardent, il eut une sorte de prémonition subite : une ombre était en train de le suivre, menaçante, mais qui en même temps essayait de le prévenir d'un danger imminent. Ce fut comme si sa peau venait de rétrécir soudain.

L'homme qui perçut aussitôt le signal n'était plus le policier aguerri et rusé sous les apparences de la naïveté, mais l'ancien loubard qu'il avait été dans son adolescence par nécessité, voleur à la tire, chapardeur, pickpocket, capable de discerner un flic en civil au milieu de la foule ou un portefeuille rembourré dans une file d'attente à la porte d'un cinéma, bien à l'abri dans la poche d'un parvenu. Avec une agilité de chimpanzé, en un seul et même geste il se baissa, se releva et fit volte-face, une pierre dans chaque main. Son souffle était court et ses lèvres retroussées.

Il ne vit que sa propre ombre, immobile comme lui et aux aguets, projetant sur le sol deux jambes arquées et deux bras arrondis en position de close-combat. Et, tout autour de lui aussi loin que portât son regard, depuis la cime des djebels jusqu'aux hauts plateaux à l'ouest, tout était paisible et biblique. Le soleil était toujours dans le ciel, le silence « blanc » et, tout là-bas, le vieux Raho semblait lui sourire avec bienveillance, debout près de la tombe, les mains croisées sur le manche de sa pioche et le menton reposant sur ses mains. Avait-il vraiment le regard d'un épervier, aigu et direct comme une flèche noire, prête à franchir l'espace en ligne droite pour venir se planter dans le front de l'inspecteur, entre les deux yeux? Où était-ce une simple illusion d'optique?

« Écoute, toi! se dit l'inspecteur Ali en laissant tomber les pierres, une à une. C'est rien que le concerto du Tiers Monde qui crève de faim. La prochaine fois que je partirai en mission, je ne me fierai nullement au chef. Je me munirai d'une valise diplomatique, un sac rempli à ras bord de *hargma* et de *mhencha* *. Ma parole d'honneur, c'est ce que je ferai, si je ne veux plus douter de mes yeux. D'ailleurs, c'est ce que je préfère, parmi toutes les nourritures succulentes de mon pays. Je me souviens que ma mère, Dieu repose son âme, se levait de bon matin pour préparer la *hargma*. Elle... »

Près de lui, à un jet de parole, un paysan était assis entre deux buissons roussis par trois ou quatre mois de soleil, promenant lentement ses doigts maigres le long d'une longue flûte du désert. Il n'en tirait pas une seule note. L'inspecteur Ali aurait bien voulu jouer avec lui un de ces airs d'autrefois qu'on dansait en tapant des paumes et qu'on ne trouvait guère dans les juke-boxes. A tout le moins, il aurait volontiers entamé avec lui une discussion sur les sauterelles ou même sur la politique, mais le montagnard avait les yeux clos, la bouche ouverte dans la lumière de juillet — et peut-être faisait-il un petit somme, va savoir!

Deux femmes jeunes et rieuses marchaient côte à côte du même pas déhanché, portant chacune un tambour en bandoulière. Leurs croupes étaient en demi-cercle, leurs seins en cônes pointus et, par Allah et le Prophète, elles avaient un teint de cannelle, celui que préférait l'inspecteur Ali, par Belzébuth et tous les démons de la chaleur animale! En passant devant lui, leurs yeux se firent liquides et elles prirent tout leur temps pour le dévisager en femmes et en adolescentes à la fois, entre candeur et désir, entre l'ambre et le gingembre. Leurs lèvres étaient légèrement entrouvertes, que lubrifiait d'une commissure à l'autre, au ralenti, une pointe de langue aussi rose et ferme qu'un clitoris du pays. Elles ne firent rien d'autre, ne prononcèrent pas un mot, se contentant de le regarder de leurs yeux de plus en plus fluides et de promener

---

* *Hargma* : plat lourd de résistance populaire à base de pieds de mouton et de pois chiches, épices comprises — et quelles épices!

Mhencha : pâtisserie de monarque, dont la seule préparation, par tout un harem, dure bien trois jours.

ce petit bout de langue frémissant, tel un désir palpitant.

— *Allah akbar!* murmura l'inspecteur. *Allah akbar!* répéta-t-il à voix haute. Seigneur Dieu, viens vite à mon secours! Ne m'induis pas en tentation, voyons! par cette chaleur d'enfer et alors que je suis en pleine enquête pour ce fichu gouvernement. *Bismillahi rahmani rahim...*

Mais, en dépit de ses invocations coraniques qui élevèrent son esprit à l'état de grâce, il était déjà en tentation dans son enveloppe terrestre, bel et bien animalisé — et davantage. Avec un pantalon confectionné à Singapour ou même à Oxford street (London, G.-B.), la chose eût été trop visible, forcément. Et sans aucun doute un peu comprimée. Or, par le nom suprême du Créateur, il était en gandoura, vêtement ample s'il en fut. Seul, un pan de tissu s'était brusquement soulevé, légèrement ma foi mais sans aucun tabou, disons au niveau de son centre de gravité, et ça pendulait pesamment de bas en haut. Je sais ce que je dis : dans le cœur de l'inspecteur Ali, c'était la surchauffe, l'inflation galopante. Les yeux exorbités, il s'écria aussitôt :

— Toutes les deux, mes gazelles. Je vous épouse toutes les deux séance tenante, par Allah et le Prophète! Ô gazelles jumelles d'yeux, de poitrine et de croupe, je n'ai jamais rien vu d'aussi beau, dans aucun commissariat de notre si beau pays. Écoutez voir ce que je vais faire...

Roucoulantes, elles pressèrent le pas et s'éloignèrent, heureuses et légères. Leur rire perlé, épicé, traîna longtemps derrière elles comme un sillage. Perdu, l'inspecteur resta un instant sur place, strictement immobile, soufflant à pleins naseaux. Et puis, sans aucun préliminaire, il se mit à apostropher quelqu'un qui lui était extrêmement attaché depuis sa naissance :

— Arabe vulgaire! cria-t-il. Malappris! Te voilà dans un bel état de rigidité, dis donc! Allez, couché! Tu crois vraiment, espèce d'ouvrier, que jusqu'à la fin de mes jours tu vas me mener par le bout du nœud? *Ya wili wili!* Ah! misère de notre misère et de la civilisation! Couché, je te dis!

Je précise : son regard était dirigé vers le centre de sa gandoura et il ne faisait qu'insulter sa ceinture, essayait tout au moins de la calmer. A deux mains il abaissa la chose, la tordit et s'écria aussitôt :

— Ouille! Ouillouille! Qu'est-ce que je vais faire maintenant, par Allah et le Prophète?

. . . .

... Quelque peu calmé et plus orphelin que jamais, il reprit dix minutes plus tard le chemin qui le menait vers la grotte, la tête officielle de son chef et le devoir. Ses jambes étaient arquées et il marchait d'un pas traînant. C'était bien simple : pour lui, l'enquête était terminée, tout était consommé au siècle des siècles. Il allait donner sa démission en bonne et due forme, c'est-à-dire oralement, dans une heure ou deux, peut-être dans un jour ou deux, une semaine au grand maximum — et que signifiait donc le temps face à la réalité? On pouvait le comprimer, le surveiller avec une montre de précision, bien sûr. On pouvait tout aussi bien l'étirer par conséquent. Il finirait bien par coincer le chef en tête à tête, entre la petite aiguille qui indiquait l'heure et la grande qui trottait si vite à son gré. Et il lui parlerait d'homme à homme. D'Ali à Mohammed. Une discussion libre entre deux Arabes libres et souverains. Rien de plus facile, aussi sûrement que sept plus huit...

Non-non! Oh non! Ce n'était pas la bonne méthode, voyons! Tes idées ne se sont pas encore décantées, Ali tête d'oignon! Elles sont encore fuligineuses. Voilà ce que c'est d'avoir cédé à tes instincts primordiaux! Non-non! Cent fois non, inspecteur Ali, le chef ne t'écoutera jamais d'égal à égal. Il est le *chef*, comprends-tu? Il est là-haut, tout là-haut dans l'administration. Jamais il ne consentirait à en descendre. Dis-lui plutôt... Prends ta tête d'ahuri, de petit garçon d'origine très modeste et de grade inférieur, et adresse-toi à lui en tant que chef : il te tient lieu de père, tout comme l'État mène le peuple en *pater familias*.

L'inspecteur éclata de rire. Et puis il se mit à soliloquer :

— Papa! Chef papa! Papa chef! Au nom de Dieu clément et miséricordieux, maître des mondes et roi du Jugement dernier, place ta main de chef sur mon crâne de prolétaire et donne-moi ta bénédiction. Père, je te demande respectueusement la main de ces deux gazelles couleur de cannelle. Dis oui. Je ne peux plus me soulager de la sorte, en solitaire. Rien que de penser à ces deux houris, j'en perds ma joie de vivre. Je vais finir par devenir hargneux et teigneux. Je vais éclater à la fin des glands! Alors dis oui tout de suite, père respecté. Ici l'air n'est pas encore pollué, la bouffe est bonne, excellente même. Je répudie ma bonne femme que tu es le premier à ne pas blairer, et je m'installe ici à demeure pour le restant de mes jours. Et, pendant que tu y es, chef, je te prie de bien vouloir agréer ma démission avec l'expression de ma haute considération. C'est vrai, quoi! En dépit des tonnes d'efforts que tu n'as cessé de déployer afin de me hisser à ton niveau, je suis resté un simple indigène à la date de ce jour. Quand tu reviendras parmi nous sur cette montagne de primitifs, un de ces jours, *incha Allah*, je te ferai un plat de *hargma*... ou de *hhliî*, de la viande séchée au soleil, tu sais bien. Qu'est-ce que tu préfères, chef? Et d'abord, pourquoi tu m'as fait entrer dans cette sale police?...

Il évoqua l'époque heureuse où il faisait du foot. On lui demandait : « Et alors, Ali, qui c'est qui a gagné? — Hé! faisait-il avec ses grandes dents. C'est nous. » Et il ajoutait sans vergogne : « Grâce à moi, le roi du terrain. » Comme il n'avait ni budget de publicité ni subvention d'aucune sorte, il était bien obligé de faire sa propre propagande : avec un morceau de charbon de bois, il traçait sur les murs de la ville « Ali, roi du terrain ». Le terrain en question était plutôt vague, sans gradins, qu'entouraient en guise de palissade les gars de sa bande. Ils n'étaient pas au coude à coude, mais répartis tous les cinq ou six mètres en un quadrilatère de côtés mous, mouvants. S'ils avaient l'œil à la fois sur le match, les deux arbitres et les innombrables resquilleurs? « Hé, toi là-bas! Où tu vas comme ça avec ton paquet de cacahuètes? T'as payé ta place? Ouvre ta main. T'as pas payé, t'as pas la marque du tampon sur la paume. File, *fissa!...* »

En franchissant les derniers mètres qui le séparaient de la caverne, l'inspecteur Ali dribblait allègrement avec un caillou rond.

Il vit la tête du chef de police et, instantanément, il oublia toutes ses résolutions. Elles étaient pourtant irrévocables, l'expression même de ses vraies tendances et de ses vrais désirs. Il fit : -
— Hmm! Hmmmm!
Il se racla la gorge et dit d'une voix de fer-blanc :
— Tu dors, chef?

8

Non, le chef ne dormait pas. Pas le moins du monde. S'il avait fermé les yeux, c'était simplement à cause de la lumière aveuglante, pour mieux réfléchir de surcroît. Et, s'il avait lutté humainement contre une petite sieste sournoise, il n'en avait que plus de mérite. A ce léger détail se reconnaissaient les âmes bien nées. Penser, cogiter sainement et ferme, sauvegarder l'esprit d'initiative contre vents et marées, contre la primitivité de ce bled et la chaleur infernale, tel était son lot. Non, cent fois non, le chef n'avait pas succombé à l'assoupissement. J'en suis témoin. Vous me connaissez. Je suis un homme sérieux.

Durant l'absence de son subordonné, dont il ne s'était même pas rendu compte, il avait essayé de faire le point, à hue et à dia. C'est-à-dire d'évoluer. Si cette évolution avait comporté quelques zigzags, soit un grand pas en avant suivi de deux ou trois en arrière, suivis à leur tour par un bond prodigieux vers l'avenir en passant par les restauroutes de sa pensée, le résultat de ses efforts intellectuels et suants était là, probant : par les grands chefs des polices de tous les pays du monde y compris celles de l'Est, l'enquête ne pouvait pas continuer de la sorte. Il y avait quelque chose qui clochait, qui grippait. Quelle était donc la nature de ce grain de sable qui bloquait la belle machinerie administrative, parfaitement huilée par la loi? Elle avait tourné jusqu'à présent sans accroc, que diable! Tout le monde savait que la loi faisait peur, que c'était là sa fonction *sine qua non*. Se pouvait-il que le point mort de l'enquête fût imputable à ces paysans non coopératifs et à leur absence totale de civilisation? Mais alors!... mais alors, s'ils n'avaient aucune manière ni rognure de civilisation, c'était donc qu'ils étaient imperméables à la loi et à la... à la peur? C'était donc ça, le corps du délit?

— Étrange! se dit le chef. Très étrange, en vérité.

Mentalement, il traça un point d'interrogation au crayon rouge, bien net, qu'il remisa ensuite dans un recoin de son vaste cerveau, à toutes fins utiles. Et puis, sans plus tarder, immédiatement, sur-le-champ, il passa au chapitre suivant. Il descendit en lui-même. Il n'eut nul besoin pour ce faire de corde de spéléologue ou de pitons. Il connaissait son propre dossier, son *curriculum vitae* comme disaient ses collègues latins, avant J.-C.

Qu'il était passionnant, mon Dieu! — et poignant — de suivre la trajectoire du destin d'un homme! Surtout si cet homme-là était le chef en chair et en os, et si son destin, individuel certes, mais aussi concentré qu'une boîte de sauce tomate, avait correspondu point par point et décennie après décennie au taux de croissance économique et culturelle de toute une nation. L'évolution des prix et des mentalités? « Très bonne! approuva-t-il *in petto*. Excellente. » Le niveau de chômage? « Pas moi! se dit-il. Pas dans la police. Je peux même dire qu'on recrute à tour de bras. » Alors, ma foi, le déficit des échanges extérieurs? Le chef dit :

— Haha!

Les paupières toujours closes et tout en épongeant la sueur de son front, il se mit à tressauter doucement, civilement, sur la vieille caisse qui lui tenait lieu de siège, secoué par un indicible rire intérieur. A un moment même, il lâcha un jet inattendu de postillons (une sorte d'élément incontrôlé), tant sa gaieté était à son comble.

— Haha! Hahahihihouha!... Arf-arf!...

Que voilà une douce plaisanterie! Car, si le déficit de la balance des paiements était vertigineux, il n'en avait rien à foutre, lui! Ce n'était pas son rayon. C'était un autre secteur, celui des plumitifs. Une autre administration, autant dire dans un autre monde. A ses collègues de l'Économie et des Finances de se débrouiller puisqu'ils n'étaient bons qu'à compter des piles de liasses et à faire des chèques de bois. Qu'ils débroussaillent donc leurs problèmes abscons, voire impossibles à comprendre même pour les experts du FMI qui y perdaient leurs chiffres — et pourtant c'étaient des cracks! Des cracks internationaux! L'algèbre était une invention des Arabes, n'est-ce pas? Eh bien alors? Par Dieu et par les maths, que les chefs et les sous-chefs de la chose fricarde refassent leurs petits calculs! Ils avaient de beaux bureaux, des secrétaires en blue-jean, des calculatrices électroniques qui fonctionnaient avec des piles, des HP 41-C! Ils ne savaient pas s'en servir? Ils tapaient à côté des touches et de leurs pompes? Dans ce cas, ils n'avaient qu'à tailler un crayon comme dans le temps jadis et à faire la règle de trois, le cas échéant. Mais ça, c'était leur affaire, leur souk et leur turbin!

Son administration à lui était saine — forte et saine. Qui pouvait en douter? Hein, qui oserait prétendre que la police n'était pas le seul corps constitué de l'État doué d'une santé de fer? Quant aux échanges extérieurs, ils dépassaient de loin tout échange culturel. Comment expliquer ce dénominateur commun qui faisait coopérer à plein rendement et dans l'amitié des États la plupart des polices civilisées? Peut-être leurs éléments étaient-ils dispensés de toute culture? En cette fin de xxe siècle, où l'on pouvait aligner dix bonshommes et les transpercer tous de part en part avec une seule balle de Magnum 35, la technologie remplaçait souverainement les idées, tous les livres. Et le progrès technologique — à tout seigneur tout honneur — commençait par la police et y trouvait son plein épanouissement.

Le chef Mohammed se souvenait avec bonheu. du stage de perfectionnement qu'il avait accompli à Paris. Ses collègues français l'avaient fort bien reçu, comme un membre de la famille. Demis de bière, *hallouf,* voiture banalisée, veillées au coin des dossiers épicées d'anecdotes croustillantes. Nulle ombre de contentieux entre l'ancien « protégé » et ses ex-colonisateurs, non-non, aucune! Il y avait quelques trucs, des « ficelles » du métier, et les civilisateurs d'hier les lui avaient communiqués techniquement, humainement, avec le mode d'emploi bien entendu. Il avait visité bien des hauts lieux du patrimoine français : la tour Eiffel, le musée Grévin, le musée de la police, la prison de Fleury-Mérogis qui, par ordre décroissant d'importance, étaient dans le programme du stage — et des échanges internationaux. On lui avait même présenté une petite blonde pour l'agrément (une hôtesse), et il avait fait son devoir comme un chef. Plus de racisme! Il en était à la fois témoin, juge et partie. Les temps avaient bien changé depuis cette époque proche et lointaine à la fois où, adolescent frémissant si désireux de ressembler à un Occidental et par voie de conséquence de mériter le nom d'homme, il avait abordé à la plage une Européenne, une espèce de tête de pizza, et s'était fait traiter de « sale race ». Besognant à la lumière du plafonnier, il enregistrait romantiquement les tressaillements et les cris de la splendide créature, le cœur gonflé d'orgueil et de joie. Oui, mon Dieu, oui, la passation des pouvoirs s'était opérée sans heurt, de police à police! Ce soir-là, le chef Mohammed but son premier whisky, d'une seule lampée, à la manière de John Wayne.

Et puis, son voyage d'étude n'avait-il pas commencé sous d'heureux auspices? Qui était là, à Orly, installé près d'un tourniquet? Un collègue en uniforme, visible à l'œil nu. Le chef s'était dirigé vers lui, son insigne dans le creux de la main, et il lui avait lancé :

— Police. Ça va, collègue? Ça boume?

Une bonne poignée de main, bien virile, et le chef avait franchi le tourniquet. Nul besoin de présenter son passeport. Comment dire? entre policiers aucune frontière d'aucune sorte. La libre circulation des personnes et des biens. Et des idées. Mais c'étaient probablement les mêmes. Le chef de police pensait à cet instant-là à son père. Il le voyait debout devant lui, en imagination, franchis l'espace et le temps, vêtu de son uniforme de flic colonisé. A savoir :

primo, une vareuse de soldat couleur kaki, par-dessus une vieille chemise marocaine sans col et sans boutons;

deuxio, une culotte de cheval rapiécée;

tertio, des bandes molletières grises enroulées le long de ses tibias;

quarto, de simples babouches aux pieds, brunes comme des figues sèches.

Telle était sa tenue, jour et nuit, par tous les temps. Et, comme instrument de son autorité, un gourdin de paysan. Un point c'est tout. Qui a dit qu'il avait un passeport? ou même une simple carte de flic? Et le voilà, lui, le propre fils de son père, franchissant allègrement la frontière (frontière aérienne!) de l'ancienne puissance tutélaire! Ce fut bien simple : sans plus tarder, immédiatement, sur-le-champ, *illico presto* comme disaient ses collègues italiens dans le Petit Larousse, il se dirigea vers un kiosque et emplit son attaché-case d'une brassée de revues et de journaux. N'importe lesquels, depuis les périodiques qui parlaient de la dépression des Américaines et du tassement du franc jusqu'aux illustrés consacrés aux crooners et aux rockers. « L'eau prend la couleur et la forme du vase qui la contient », affirmait un philosophe arabe des temps anciens, voyons!

Et, par la suite, comme il était un élément méritant et bien noté par sa pyramide de chefs, il avait fait un jour le grand voyage à bord d'un Boeing 747. Destination : « *You-ès-è.* » Stage de surperfectionnement du côté d'une ville appelée comme ça *Saint-Cinnati* pour se perfectionner avec les méthodes et la technologie de pointe de la Brigade anti-terroristes (« *Anti-Terrorist-Squad* » en *lamirikane* : ATS, selon le sigle).

Simple question : le père du chef — qu'Allah repose son âme là où elle est! — avait-il jamais voyagé autrement que sur ses pieds, à dos de bourricot, à bicyclette ou en tramway le cas échéant?

Réponse : *no comment!*

Question corollaire : qu'aurait-il dit s'il avait vu son fils abonné aux lignes internationales et sautant d'une civilisation à une autre sans rien perdre de sa dignité humaine?

Réponse : hein?... Ah oui! Il aurait dit comme ça : « *Ya wili wili wili!*... Ah! misère de notre misère, ne monte pas dans cette satanée machine volante, mon fils! Laisse ça aux chrétiens. Tu as le temps... »

— *Shoot again* *! lui lançait son instructeur d'une voix nasillarde.

— Hein?

— *Shoot again! Get a move on* *!

Debout devant une chose appelée comme ça *Space in vader* (« Envahisseur de l'espace »), une sorte de flipper avec une infinité de boutons électroniques et un écran, le chef de police s'efforçait de ne pas s'énerver. Il lui fallait simultanément :

1) comprendre ce que baragouinait l'instructeur en bras de chemise : il ne causait pas anglais, mais américain;

2) se familiariser avec cette console du diable avant de s'en servir;

3) poursuivre mentalement le long dialogue qu'il n'avait cessé d'avoir avec le créateur de ses jours. Tâche ardue s'il en fut.

---

* *Shoot again, get a move on!* Rejoue! magne-toi!

— *Shoot again!*

Qu'est-ce qu'il fallait shooter, bon Dieu? Et comment? quand? Vertigineusement (à savoir plus vite que sa pensée éblouissante si chose se pouvait), surgissait en tracé lumineux sur l'écran du *space in vader* une soucoupe volante issue du néant. Elle ne restait guère en place, elle filait en rase-mottes et disparaissait comme par enchantement, le temps de traduire l'apparition en marocain. Et elle revenait à la charge, jamais au même endroit, comme pour le narguer. Il fallait se concentrer, assimiler l'équation abstraite : soucoupe = commando de guérilla urbaine, prévoir où ces salauds de terroristes allaient attaquer, les neutraliser en un clin d'œil par la pensée et les armes. Les mitraillettes étaient là, figurées par trois boutons. Il souffla à son père : « Attends une seconde », et fit feu. Il y eut une descente en gerbes rouges sur l'écran.

— *Roger!* dit l'instructeur. Vous avez fini par piger. Pigé, correct?

Oui, *roger,* papa. Tu vois ton fils, tu le vois, dis? Plus tard dans une salle de conférences dont tout un mur était tapissé de cartes d'état-major avec des épingles de couleur fichées dans les points chauds du monde arabe, le chef Mohammed assimila la tactique américaine et les bonnes manières et, ce faisant, il ne cessait de faire des commentaires à feu son père. Ces enfants de la puissance ne t'auraient jamais adressé la parole, à toi, ma parole d'honneur. Tu n'étais pas indépendant, tu n'avais pas d'uniforme, tu n'avais aucune autorité. Tu n'étais rien. De la même façon, les pays frères n'étaient rien, oh! rien du tout — jusqu'au jour où le pétrole leur a donné un brevet d'existence. *Roger?* Et dire qu'il y en a parmi les collègues chefs qui ont encore leurs pères témoins de ce passé d'inexistence! Ils les ont bien installés, dans de belles villas, avec domestiques, salle de bains et tout ça! C'est bien simple, père : à la prochaine occasion, sans plus tarder, immédiatement, je te ferai réhabiliter par les instances supérieures et décerner la médaille de la police à titre posthume. Et ce serait justice! Il suffit de déposer un projet de loi. Nous sommes plusieurs orphelins dans ce cas...

Ici, au beau milieu de ses souvenirs, il ôta sa chemise et, sans ouvrir les yeux, il la lança dans un coin de la caverne. Il faisait chaud. Il faisait même très chaud. En slip réglementaire et remuant les orteils, il saisit l'épisode américain, le plaça dans le trou *ad hoc* du puzzle de sa vie qui était chargée de sa propre admiration. Et puis... Et puis, il se mit en devoir de considérer la genèse des êtres et des choses.

Question : Par quelle aberration, à la suite de quel accident de l'Histoire un tel homme, hors du commun, pouvait-il se trouver dans cette grotte tel un rat, en butte à l'obstruction de ces rien du tout de culs-terreux, et piétinant dans son enquête? Le retour de manivelle pouvait-il l'atteindre, lui? LUI? l'atteindre et le mettre en état de déliquescence? Mais alors... mais alors, c'étaient l'autorité centrale, la Constitution, le pouvoir établi qui étaient en jeu, ma parole d'honneur?

Réponse : Tout à l'heure. Je ne peux pas répondre tout de suite. Je dois réfléchir sérieusement. Silence!

Perdu dans ses pensées en vrac et à l'encan, tout couvert de la poussière qu'elles avaient répandue en tombant, le chef de police Mohammed appela à son secours l'arsenal du Règlement. Celui-ci ne répondit pas. Il n'atteignait probablement pas un bled perdu comme celui-là. Il n'en avait nulle envie d'ailleurs. Le chef se tassa sur sa vieille caisse, il se fit tout petit, nu que voilà sauf le slip, à l'image ou tout comme de ce qu'il avait été à l'origine en vagissant pour la première fois dans ce monde si complexe. Il invoqua tour à tour la Brigade de recherches et d'intervention, la CIA, Scotland Yard, Sherlock Holmes... Comment faisaient-ils, ces gars-là? Comment auraient-ils opéré en l'occurrence? Pas de téléphone à des lieues à la ronde, les pneus de sa voiture à plat, des paysans hostiles et illettrés, sinon béatement idiots, un inspecteur de mes choses qui ne savait que bouffer, dormir et rigoler... et surtout, surtout une innommable enquête dont il n'était pas encore parvenu à saisir le moindre bout de fil.

— Allah tout-puissant! pria-t-il en dernière extrémité. Aide-moi. J'irai l'an prochain en pèlerinage à La Mecque. Je ferai désormais mes cinq prières quotidiennes et plus jamais je ne consommerai de *hallouf* ni d'alcool. C'était pour la frime, la cravate. Tu dois savoir ce qui se passe dans l'âme de tes fidèles, devant eux et derrière eux. En un mot comme en cent, j'appliquerai l'Islam dont je me suis détourné par mégarde. Tiens, écoute : je vais te réciter un verset du Coran...

Il le récita en effet, remuant furieusement les lèvres. S'il y mêla quelques mots de sabir, ou d'une langue étrangère connue de lui seul, la chose allait de soi. La greffe de la civilisation occidentale n'avait-elle pas pris harmonieusement sur le monde arabo-musulman pour donner l'un des meilleurs fruits hybrides de ce siècle? Comme Allah ne l'entendait pas de cette oreille, le chef de police prit finalement une grande décision. Capitale. Il revint en arrière toute, renversant la vapeur. Il y avait un début à tout, l'*alpha*.

Il retrouva l'origine de tout : ce jour proche et lointain à la fois où, en même temps qu'un diplôme signé illisiblement par trois ministres (dont celui de l'Agriculture, probablement pour les viatiques de l'esprit) et qui attestait par trois sceaux différents de la réalité de ses fonctions, il avait reçu comme une grâce cette qualité essentielle entre toutes : l'officialité. C'était quelque chose de spécial, d'indéfinissable, qui imprégnait la voix, le regard, le maintien et jusqu'aux vêtements, d'une sorte d'huile à haute teneur d'immatérialité. Celui qui en était investi devenait du même coup un habitant d'une autre planète, reconnaissable dans la multitude dès qu'il avait le malheur d'ouvrir la bouche. Oh! il continuait d'employer les mots de la tribu, mais en les tartinant en quelque sorte de matière grasse. Apitoyé par exemple sur un enfant malade, il pouvait dire comme

vous et moi : « C'est pas vrai? Il est malade? Mais il est con,
ce petit! » Nous exprimant ainsi, vous et moi nous ferions
aisément comprendre de nos compatriotes, parce que nous
sommes des gens simples. Mais les officiels, baignés dans l'officialité, prononçant ces mêmes mots, recevaient en guise de
réponse des yeux ronds et des oreilles dressées comme celles
d'un chacal. Il y avait le ton. Il gâchait tout. Vous hésitiez à
leur passer la salière à table lorsqu'ils vous en priaient poliment. Vous n'étiez jamais sûr qu'ils s'adressaient personnellement à vous ou au sel... où même à quelque interlocuteur invisible qui se serait tenu à une coudée au-dessus de votre tête.
Saisi, vous vous retourniez d'un bloc; vous regardiez en l'air,
vous ne repériez aucune apparition de vos yeux que voilà... Et
puis, vous vous demandiez : « Il m'a parlé? A moi? Et qu'est-ce
qu'il a bien voulu dire? »

L'officialité était moins visible, moins évidente dans le corps
de la police. Dissimulation oblige! Mais, si déguisée fût-elle,
elle était quand même là, détectable de très loin, sans radar, à
des degrés divers selon l'échelon hiérarchique. Un simple agent
faisant le trottoir pouvait déambuler gravement, comme s'il
avait besoin d'un grand espace vital; et, quand il vous *agressait*
la parole, pour vous demander vos papiers par exemple, il le
faisait officiellement, en soufflant sur les mots pour leur donner un sens volant, à la manière de ces chardons qui essaiment
à tous vents. Au sommet de la pyramide, un chef digne de ce
nom vous faisait attendre une couple d'heures dans l'anti-
chambre, sur un banc, et, lorsqu'il consentait enfin à vous
recevoir dans son bureau, vous commenciez par refermer la
porte, sans bruit pour ne pas le déranger; vous vous asseyiez
sur un bord de chaise et demeuriez dans l'expectative : il relisait, annotait un dossier qui était peut-être le vôtre, le téléphone sonnait et il répondait d'une voix vide : un « Allô! »
excédé suivi de quelques syllabes qui n'entraient pas tout
à fait dans la ligne de vos références. Il raccrochait, daignait

abaisser le regard sur votre personne, l'air de se demander de quel bled vous débarquiez.

— Ah! c'est vous, Untel? lançait-il.

— Oui, monsieur le commissaire. Excusez-moi.

— Demain. Je n'ai pas le temps. Revenez demain.

— Oui, Excellence.

Vous étiez si content de repartir, de retrouver la liberté. Il n'avait pourtant pas fait de menaces. Qu'avait-il dit en vérité, si votre mémoire toute chaude était sortie du bureau en même temps que vous? Rien que de très simple : « C'est vous? Revenez demain. » Très exactement comme lorsque votre épouse vous dit parfois : « Non, chéri. Pas ce soir. » Vous la comprenez sans doute, au simple son de sa voix. Vous souriez même, pénétré d'une certaine indulgence un peu confuse. Les mots qu'elle vient de prononcer n'ont rien d'officiel. Ils ne vous ont pas *dépassé*. Ils ne vous font pas peur.

Dans les autres sphères de l'État, c'était tout autre chose. Plus besoin de déguiser comme un vulgaire policier. Et, plus on approchait de la politique pure, plus l'officialité était pure et dure. On y mêlait par-ci, par-là quelques phrases de lettré, on y adjoignait des morceaux choisis du vocabulaire technologique, quelques données d'ordinateur pour être dans le vent — tous attributs qui vous gonflaient leur homme d'importance et le faisaient monter tout là-haut, dans la stratosphère, tel un ballon-sonde. Apparaissait un officiel sur le petit écran, un spécialiste s'il en fut, qui mobilisait l'antenne sans souci du temps, afin de discourir par exemple sur le malaise paysan.

— *Bismillahi rahman arrahim!* commençait-il sur un ton péremptoire et ronflant. Au nom de Dieu clément et miséricordieux...

Trois quarts d'heure d'horloge plus tard ou peu s'en fallait :

— ...suivant en cela le libéralisme économique de Milton Friedman. Je vous causerai de cet Américain la semaine prochaine, *incha Allah!* Toujours est-il que le Conseil des ministres vient de décider que le fonds de promotion des produits agro-alimentaires sera mis en place incessamment, c'est-à-dire dans quelques mois si Dieu le veut. En premier lieu, les organismes stockeurs chercheront à réceptionner les céréales selon leur qualité, ce qui implique des équipements nouveaux. En second lieu, pour ne pas pénaliser l'élevage, il a été convenu que les nouveaux silos seraient construits sur les lieux d'utilisation des céréales par les animaux. Ces mesures tendraient à prouver que l'agriculture ne devrait pas connaître d'aggravation nouvelle. On peut même espérer, avec l'aide d'Allah le Très-Haut, un redressement tangible à la fin de l'année prochaine...

Des téléspectateurs qui n'avaient pas un milligramme de compréhension s'écriaient, pleins d'admiration :

— Ah! çui-là, c'est un savant. Il a la tête!

Les assimilés bénéficiant de quelques gouttes d'huile étaient innombrables qui gravitaient dans les allées et les ruelles du pouvoir. A des degrés divers, tous adoptaient le ton et le maintien des grands chefs, leur langage, leur manière d'allumer une cigarette et de souffler sur les administrés. Même les reporters sportifs, rendant compte d'un match de football, trouvaient le souffle et le moyen de placer la burette et un coup de brosse au Chef suprême entre un penalty et un but. Et il y avait l'écrit, c'est-à-dire de simples caractères d'imprimerie sur du papier, là où en principe l'officialité n'avait guère de chance de laisser des cernes. C'était compter sans cette trouvaille : des guillemets où l'on enfermait de plus en plus de mots, afin de les détacher du commun du vocabulaire. Des termes simples, banaux, des laxismes, des litotes, une langue de bois acquéraient de la sorte une certaine noblesse, un relief saisissant dès le premier coup d'œil. Pour s'en pénétrer, on avait le choix entre les deux termes d'une alternative :

a) soit se demander bêtement pourquoi diable un mot comme *conférence* ou *bœuf* était encadré par deux guillemets-gardes du corps;

b) soit s'armer d'un dictionnaire d'exégèse si l'on voulait déceler le signifié et le signifiant de la chose et du machin.

Il y avait un autre genre de réaction : se croiser les bras et laisser tomber. Et c'est ce que je suis en train de faire.

Mais le chef était le chef. Il ne laissait rien tomber du tout. Avec entêtement, il donna une tout autre direction à ses pensées. Elles étaient à présent triées par ordre d'importance, classées dans des dossiers de différentes couleurs. Il fallait ce qu'il fallait : de l'ordre. Et il ne fallait pas ce qu'il ne fallait pas : la gabegie. Parvenu à ce stade de synthèse, le chef Mohammed se souleva sur une fesse, lâcha un gaz silencieux, inodore et incolore, et se mit en devoir de poser le vrai problème : en 1980, ici et maintenant, quel était donc le destin d'un individu comme lui, en chair et en os? Quand les choses s'enlisaient comme cette bon Dieu d'enquête, il fallait prendre le taureau par les cornes, c'est-à-dire élever le débat et lui donner un caractère exemplaire, voyons! Il n'y avait pas à tortiller. La question s'organisait lentement dans sa tête, manifestement les connections étaient grippées par la chaleur. Mais il serra les dents et répondit : national, destin national. Pour avoir des renseignements complémentaires, il se mit à survoler l'Histoire, d'abord dans sa langue maternelle, puis en français afin de donner un contenant cartésien à ses idées, à ses souvenirs livresques aussi. L'Histoire... l'Histoire...

D'abord il y avait eu les primitifs, va donc savoir ce qu'ils étaient au juste! Vinrent les Romains, depuis Rome à dos d'éléphants, avec leurs légions et leurs aqueducs. Ils firent ce qu'ils purent : il fallait irriguer le pays. Mais ils parlaient latin et ce n'était pas une langue marrante. Elle était morte, d'ailleurs. Et puis, ils n'avaient laissé derrière eux que des ruines, témoin Volubilis. Plus tard, ils étaient devenus des fascistes avec leur Mussolini et, à partir des années soixante-dix, des terroristes. Les Brigades rouges. Détail sans importance apparente mais qui était très significatif : lui, Moham-

med, aurait-il pu être chef de police du temps des Romains?
Non, n'est-ce pas?

Il y avait eu ensuite les Wisigoths... ou les Ostrogoths?
Quelque chose comme ça. Des hordes, aucune police là-dedans.
Passons aux Arabes. Le général Abderrahmane, le général
Tariq, le gars qui avait fait construire le port de Gibraltar.
Des cheikhs de l'Islam, des marabouts, des caïds, certes; mais
l'Histoire n'avait retenu aucun nom de policier arabe. La féo-
dalité, quoi! Il y eut ensuite le temps des Français colonialistes. S'ils avaient daigné s'intéresser à quelques indigènes
comme son père, c'était au dernier degré. Les flics du pays
étaient de simples valets de l'impérialisme. Mais, grâce à
Allah tout-puissant, les Arabes étaient devenus libres et souverains.

Ici, ayant conduit les siècles à tombeau ouvert, le chef
Mohammed repéra le premier indice : qui avait gouverné le
pays depuis les temps les plus reculés? Réponse immédiate :
une poignée, une élite entre guillemets. Elle avait dominé la
majorité silencieuse et fait suer le burnous, financièrement,
agricolement, militairement, dans les domaines politique et
policier, économique et culturel, soit par la religion, soit par
la civilisation, autant dire par l'obscurantisme.

Le chef de police sourit largement et aborda l'époque contem-
poraine, celle de la prise de conscience. La nation était maintenant maîtresse de son destin. Elle était représentée à l'ONU,
à l'OUA, à la Ligue arabe parfois, selon les aléas; à la Conférence islamique, ce qui était beaucoup mieux, puisqu'il y avait
plus de musulmans que d'Arabes de par le vaste monde. Le
pays faisait même partie de l'espace judiciaire! A l'intérieur,
le peuple était massmédiatisé partout par la télévision. La
culture pour tous, démocratiquement. Le moindre feuilleton
américain *up to date* était programmé sur le petit écran dans
les meilleurs délais. Le second indice était manifeste : qui était
associé au pouvoir, hein? Des gens d'origine modeste, de

niveau moyen en toute simplicité, et qui tenaient lieu de ciment entre la base et le sommet. Ce n'étaient pas des ci-devant fils de leurs pères? La belle affaire! Ils ne sortaient pas des grandes écoles ni du commun? Haha! Des fils de petites gens, sans naissance ni bagages encombrants, étaient à présent aux postes de commande dans toutes les administrations, depuis le noble corps de la police jusqu'au conseil des programmes de la radio-télévision. Chacun d'eux disposait à plein rendement d'une petite parcelle d'autorité. Et, à eux tous, ils avaient le vrai pouvoir. N'importe quel institut de sondage donnait le droit commun gagnant. Quel progrès depuis Avicenne et Ibn Khaldoun! Depuis les berceuses baignées de légendes que chantaient les grands-mères incultes et frustes jusqu'à la réalité économique qui faisait force de loi, quel fantastique bonheur que celui d'assumer le pouvoir!

Lui, Mohammed, fils de son défunt père, avait la tête, l'autorité et des dossiers. Au cours de sa carrière, il avait amassé des renseignements sur toutes sortes de personnalités. Ainsi prémuni, il faisait l'objet du plus grand respect. Son destin était non seulement national, mais de béton. Dans cinq ans, dans une dizaine d'années au maximum, il pourrait prétendre aux échelons les plus élevés. Et ce serait justice! Tenez : d'où sortait-il, qui était-il, cet Adolf ben Hitler, sinon un peintre en bâtiment de rien du tout, de niveau très moyen somme toute et fils d'un roturier de la roture? Il n'empêche que, petit à petit, comme le nid fait son oiseau, il s'était hissé au sommet du Gotha (l'État en langue allemande), à la force du poignet et à la sueur de son front, et qu'il avait dominé l'Europe entière en faisant appel à ses pareils, à savoir la multitude des sans-nom et des moyens en thème! Ah! s'il avait eu le bon sens de choisir la carrière policière! Mais non, il était maboul : il avait préféré la politique et le pouvoir lui était monté à la tête... Au contraire de la police, la politique n'était pas de tout repos. Elle obligeait à tordre la pensée la plus droite, elle provoquait l'insomnie, voire la méningite. Et puis, aucune carrière de politicien ne pouvait être assurée au départ d'une grande durée dans le temps. Tandis que la police...

— Attends! se dit brusquement le chef. Attends dans ta pensée. Bouge pas...

Il venait d'être frappé de plein fouet par une idée monstrueuse, si subversive qu'il ouvrit les yeux à la lumière aveuglante du jour. Effrayé, haletant, il n'osa pas la formuler jusqu'au bout, fût-ce dans le recoin le plus ténébreux de son cerveau. S'il l'avait fait, il eût probablement empoigné son revolver et se fût suicidé séance tenante. Et, avec lui, tout le système se fût écroulé comme un château de cartes biseautées. C'eût été un grand malheur, assurément. Voilà ce que c'était de penser, de se comporter en *insectuel! Ladin mouk filou-soufi!* Putain de sa mère, cette philosophie! La pensée appartenait au passé, voyons! Elle était inutile, voire malfaisante. Car à quoi pouvait-elle bien mener, sinon à la déformation des faits et à l'angoisse? Une connaissance approfondie de la nature humaine ne pouvait que rendre fou un homme sain d'esprit comme le chef. Et, par Allah, son esprit était doué d'ordre et de méthode...

— Hein? Qu'est-ce que tu as dit, toi?

— Tu dors, chef? Ça fait un bon moment déjà.

Le chef de police se réveilla pour de bon ce 12 juillet 1980 aux environs de 13 h 14 mn suivant sa montre à quartz. Il s'ébroua, essarta ses pensées, n'en laissant nulle trace ni dans ses petites cellules grises ni sur sa face couleur de foie bouilli. Elles étaient mauvaises. Elles méritaient l'incendie, la mort. Gonflant les mots, il dit :

— Inspecteur Ali, écoute-moi bien.

— Oui, chef. Je t'ai posé deux ou trois questions, je crois. Tu faisais sans doute une petite s...

— Tu écoutes, un point c'est tout. Pendant que tu te reposais...

— Qui ça? moi? moi?

— Oui. Toi, toi. Pendant que tu poursuivais des songe-creux, j'ai réfléchi à la question. J'ai considéré soigneusement la situation dans son ensemble, depuis la porte d'entrée jusqu'au toit, de A à Z comme on dit en français. Et je suis arrivé à une conclusion *sine qua non,* à savoir claire, évidente et mathématique. Écoute bien : il est impossible, impensable pour moi de mener cette enquête dans la fournaise. Ce n'est ni mon milieu socioculturel ni... ni... Regarde dans quel état je suis, cria-t-il brusquement. Non, mais regarde!

— Oui, chef, dit l'inspecteur, les yeux écarquillés. Je regarde depuis un bon moment. Et que vois-je, ma parole d'honneur? Tu sues, ça coule de tout partout. C'est inhumain. Tu veux que je t'essuie?

— Si tu veux, si tu veux. Non-non! pas avec le pan de ta gandoura. Ouvre mon sac de voyage et prends une serviette de bains. C'est propre, c'est tout neuf. Prends-en deux. Enlève-moi cette gadoue qui me coule dans le dos et sur le torse. Frotte, vas-y! N'aie pas peur. Pas trop fort, tête d'oignon! Je t'ai dit de frotter, je ne t'ai jamais dit de m'arracher la peau.

— Excuse, chef. *Ouka* moi pas connaître ma force. *Ouka* ça me dépasse.

— Vois-tu, inspecteur, nous aurions dû venir ici le printemps dernier. A tout le moins, nous aurions pu différer l'enquête jusqu'à la saison des pluies.

— Quelle pluie? demanda l'inspecteur. C'est tout sec depuis un siècle ou deux, rien qu'à voir les pierres de ce paysage grandiose et la tête des montagnards.

— En automne ou en hiver, il doit tout de même y avoir un souffle de vent. Quelque chose de frais et de civilisé. Ce n'est pas possible autrement. Tu trouveras dans ma sacoche un flacon d'eau de Cologne. Vide-le sur ma tête.

163

— Oui, chef. Ça sent bon, dis donc!

— Ça rafraîchit, ça fait du bien. Je me sens un autre homme. Mes pensées reprennent le dessus en un rien de temps. Vois-tu, inspecteur, c'est une question d'environnement. Il y a une grande différence, énorme, entre travailler dans mon bureau directorial et transpirer dans ce trou à rats, comme un rat mort.

— Oui, chef. Compris au quart de tour. Tu peux me faire confiance. Tu n'as rien de cette sale bête. Alors comme ça je descends gonfler les pneus de la tire et on se tire, c'est ça?

— Non, ce n'est pas ça. Pas le moins du monde. Tu divagues, tu fantasmes.

— C'est comme tu veux, chef. Pour ce que j'en dis, moi! On pourrait regagner la civilisation en quelques heures, les vitres baissées et la radio en marche pour le plaisir de l'oreille. Attends que je t'explique, chef. Ça descend tout seul de la montagne vers la plaine fraîche et les supermarchés, là où on trouve aisément à boire et à manger. Pense un peu à ton bureau climatisé et au fauteuil sur lequel tu trônes d'habitude et qui doit s'ennuyer de toi, le pauvre orphelin! Rien à voir avec cette caisse pourrie sur laquelle tu es assis présentement. Tes fesses doivent être talées, m'est avis. Pense à ton standing, chef! *Achourfa wal karam,* comme on disait du temps des califes : « La noblesse et la dignité humaine. » Ça compte.

— Hmmm! fit le chef. Hmmm!

— Forcément, poursuivit l'inspecteur Ali avec une rigoureuse dialectique brevetée SGDG. Forcément. La noblesse du fauteuil détermine la dignité humaine de celui qui est assis dessus, aussi sûrement qu'un mets succulent comme la *hargma* ou la *mhencha* provoquent la dignité du ventre. Sans compter une joyeuse digestion de pacha. Ce que ne ferait jamais un simple plat de fèves. Ah ça, non!

— Hmmm! répéta le chef. Ton raisonnement a des relents

de cuisine, mais il y a une planche ou deux qui tiennent debout. Disons qu'elles sont en contreplaqué. Mais dis-moi : et les suspects?

— Ces ploucs? C'est bien simple, chef : si le Prophète est allé courageusement vers la montagne, la montagne descendra vers toi en camion. Nous sommes au XXe siècle, tout de même!

— Comment ça? Je ne te suis pas très bien.

— On enverrait quérir ces paysans vite, *fissa*. Les collègues de l'armée les entasseraient dans un camion militaire. Ils ont l'habitude, pour faire la foule rurale des oui-oui dans les occasions idoines. Une fois rendus en ville, l'enquête se ferait toute seule. Plus de chaleur, plus d'inconfort, plus de casse-tête arabe.

Le chef garda le silence un instant. Puis il dit :

— Est-ce que le mot *jobard* est tatoué sur mon front ou bien tracé au kohol?

— Ni l'un ni l'autre, chef. Je suis très surpris par...

— Crois-tu vraiment — vrai-ment — que je n'ai pas envisagé cette solution boiteuse? fantaisiste, qui plus est?

— Par Allah et le Prophète! Tu l'as envisagée? TOI? Comment as-tu fait? Et qu'est-ce que ça a donné?

— Un début de migraine. Rien qu'un début, parce que j'y ai renoncé séance tenante, immédiatement, sur-le-champ. Je n'ai nulle envie de me bourrer d'aspirine, je suis formellement opposé à toutes ces drogues. Quand une idée est déplacée, je la laisse tomber. Voilà comme je suis bâti, moi!

— Tu en as de la chance! s'exclama l'inspecteur, les yeux ronds.

— J'en ai marre de t'expliquer l'évidence! Tu es incapable de faire la différence entre une saucisse et un rasoir pour te couper la gorge. Le Règlement, voilà la différence!

Il regarda l'inspecteur de bas en haut et répéta, péremptoire :

— Voilà!

— Je ne comprends pas cette évidence-là, hasarda l'inspecteur. Sincèrement. Par Allah et le Prophète.

— Ah! tu ne comprends pas? Eh bien, je vais taper sur le clou de ta bêtise avec un marteau écossais, fabriqué à Idenbara. Écoute bien : ordre m'a été donné de venir enquêter ici. Ici et non en ville, dans mon bureau. Encore moins dans un supermarché. Ici, dans ce sale bled bouillant comme un hammam. Et de mener à bien ma mission officielle jusqu'au point final du dossier. Tu saisis?

— Non, répondit l'inspecteur. Rien. Si je comprends bien, la porte d'entrée est fermée. Il n'y en a même pas. Il n'y a pas non plus de porte de sortie. Tu es coincé, chef. Tu ne peux pas enquêter ici, sur place, à cause de la fournaise. Et je compatis à ta douleur physique et morale. Tu ne peux pas non plus faire transporter ces paysans à domicile, je veux dire en ville, afin de les interroger proprement. Dans ces conditions, il y a quelque chose qui cloche. Je ne sais pas si le serpent se mord la queue dans une telle situation, mais autant dire que l'enquête piétine, s'enlise et...

— Écoute voir, toi.

— Oui, chef. J'avais bien peur que tu te mettes en colère contre moi et contre l'adversité, inconsidérément, par nécessité vitale. Mais je vois avec un grand plaisir que ton visage est épanoui. Cela signifie que tu viens d'avoir une idée géniale pour te sortir de la mouise. Fais-moi vite profiter de l'aubaine.

— Ouvre ma sacoche et passe-moi une chemise propre.

— Oui, chef. Avec joie. Alors, cette idée?

— Il ne faut jamais se noyer dans les détails, énonça le chef sur un ton docte. Il s'agit de cerner, d'appréhender le problème de haut, comme à bord d'un avion de reconnaissance. On a alors tous les éléments sous les yeux. C'est logique. Je ne sais pas si tu t'en es rendu compte, mais nous nous sommes démocratisés. A la fin de ce siècle nous serons tous égaux. Le changement dans la continuité bien entendu. Tu me suis?

— Non. Pas du tout, répondit l'inspecteur. Je ne fais jamais de politique.

— Je ne te parle pas de politique, mais de réalité. De réalité sociale. Tiens, un petit exemple tout bête : qui est présentement ici, dans cette grotte de malheur?

L'inspecteur pivota sur ses talons, embrassa la caverne d'un seul coup d'œil et dit, hébéphrénique :

— Rien que nous deux, chef. Je ne vois personne d'autre.

— Qui ça, nous deux?

— Ben... toi, chef. Et moi.

— C'est ça, approuva le chef. Rien que nous deux. Décomposons : il y a un chef et un subordonné. Le chef que je suis a de grandes responsabilités. Par la force des circonstances, le chef va te démontrer séance tenante les tenants et les aboutissants de la démocratisation. Approche-toi.

— Oui, chef. C'est grave?

— Assieds-toi tout près de moi. Encore plus près. Écoute . je vais consentir à partager avec toi mes responsabilités dans la conduite de cette enquête.

— Par Allah...

— Oui, inspecteur Ali. Mon camarade, mon ami. C'est une preuve de confiance que je te fais là, démocratiquement. J'espère, je suis sûr que tu sauras t'en montrer digne. Alors, écoute : en haut lieu, des renseignements top secret sont parvenus, stipulant qu'un dangereux subversif, citoyen de notre pays, a longtemps vécu en Europe et a franchi la frontière la semaine dernière, illégalement. Il se trouve ici, dans ce village.

— Par Allah et le Prophète!

— Oui. La police d'État ne peut pas se tromper. Elle a des antennes partout, elle collabore avec celles d'une trentaine de pays, la main dans la main. Inspecteur, il faut coûte que coûte trouver ce criminel et le coffrer dans les plus brefs délais.

L'inspecteur passa mentalement en revue les membres de la

famille Aït Yafelman, depuis Raho jusqu'aux deux jumelles couleur de cannelle.

— C'est un homme? demanda-t-il avec une certaine appréhension.

— J'ai dit « un subversif ». Je n'ai pas dit « une subversive ». Je connais le vocabulaire.

— Louange à Dieu! s'exclama l'inspecteur.

— Pourquoi, louange à Dieu?

— Ce n'est rien, chef. Une affaire privée entre moi et moi-même. Quel âge, ce terroriste?

— Dans les trente-trente-cinq ans.

— Comme toi alors?

— Hein? Oui, si tu veux. Bien que je n'aie rien d'un subversif. Nous ne savons pas son nom. Mais il est natif de ce bled. Et puis, il doit causer européen. Tâche de le coincer là-dessus. Tu es bavard, malin en quelque sorte. Et, en raison de tes origines prolétaires, tu es plus proche que moi de ces culs-terreux, tel un poisson dans l'eau. En conséquence, je te charge officiellement et provisoirement de l'enquête. Qu'en dis-tu, inspecteur?

L'inspecteur réfléchissait ferme, montait quatre à quatre l'escalier des possibilités et des combines. Il se composa instananément un visage de demeuré. Il dit :

— Heu!...

— Ça te la coupe, n'est-ce pas? Quand je te disais que nous étions entrés dans l'ère de la démocratisation! Vas-y, inspecteur, exprime tes sentiments profonds. Cette journée est à marquer d'une pierre blanche. Vas-y, camarade, formule ta joie.

— Je ne sais pas si je dois oser, chef.

— Ose! ose! N'aie pas peur. Nous sommes des égaux, toi et moi.

— Vois-tu, chef, je suis littéralement écrasé par l'honneur qui vient de me tomber sur la tête. C'est trop.

— J'ai spécifié que ce n'était que provisoire, il me semble.

— J'ai bien entendu. Mais, même provisoire, cet honneur m'a atteint en plein bide. Mes entrailles en sont nouées. Je ne sais pas à quoi ça tient, chef, mais le peuple n'a nulle envie d'assumer ses responsabilités. Il a la trouille. Et ça ne date pas d'hier.

— Qu'est-ce que tu baragouines? Explique!

— Volontiers, chef. C'est très simple : as-tu déjà vu un rien du tout devenir roi ou président?

— Qui te parle des « mille et une nuits »?

— Personne, chef. Oh, personne. C'est pourquoi je constate en toute logique que c'est impossible. Au jour d'aujourd'hui, les contes de fées ne se vendent guère. Par contre les B.D.!... Je suis au regret de te dire, chef bien-aimé, que je décline ton offre généreuse et désintéressée.

Le chef faillit se mettre en colère pour la troisième ou quatrième fois de la journée. Mais il se contint. Il était bloqué, patinait dans son enquête, faisait du « surplacisme ». Il dit sur un ton doucereux, voire amical :

— Tu refuses d'obéir à un ordre?

— L'offre est devenue tout à coup un ordre? demanda l'inspecteur, le visage inexpressif.

— C'est une offre, bien sûr... teintée d'une certaine... de... Une offre octroyée, voilà l'expression exacte.

— Même enveloppée de papier-cadeau, je ne peux pas l'accepter, chef.

— Mais pourquoi? Pourquoi, espèce de roue de secours?

— Parce que c'est toi le chef, chef. C'est toi qui as été investi de cette mission officielle. Moi, je ne suis qu'un adjoint. Il n'entre aucune responsabilité dans mes attributions. Tu ne cesses de me répéter que mon boulot, c'est d'exécuter. Exécuter, c'est tout. Le Règlement est le Règlement. Je ne peux pas ni ne veux y contrevenir. Je ne suis pas fou. Naïf, peut-être. Mais pas fou.

Les circonvolutions cérébrales du chef étaient agitées depuis longtemps par un convulsif mouvement de bielles. Le passé avait été si lumineux : tant d'affaires réussies, tant d'arrestations, tant de bonnes notes! L'avenir était menaçant : le fiasco total sur cette montagne pour commencer et... et cela par la faute de ces paysans obscurs et de ce fils de gardien de four pour lequel il avait le plus profond mépris!

— Mon frère, dit le chef, pardonne-moi mes offenses. Si par mégarde j'ai commis des erreurs à ton endroit, il ne faut pas m'en tenir rigueur. J'ai le tempérament sanguin des Méditerranéens et puis il fait chaud. Je t'aime bien, tu sais.

— Amen! conclut l'inspecteur. Combien tu me donnes?

Une vieille allumette traînait à terre. Il la ramassa.

— Hein? demanda le chef.

— Qu'est-ce que tu me proposes au cas où, éventuellement, je fais cette vieille enquête à ta place?

— Mais tu ne la fais pas à ma place! Il n'en est pas question.

— Alors rien n'est conclu, chef. Je suis un fidèle serviteur de l'État. Ou bien tu appliques le Règlement ou bien tu ne l'appliques pas. C'est à toi de décider. Tu es le chef.

De l'ongle du pouce, il fendit l'allumette en deux dans le sens de la longueur et se mit à se curer les dents, lentement, soigneusement. Il avait tout son temps.

— Écoute, commença le chef.

— Oui, chef?

— Il va sans dire que nous signerons ensemble le procès-verbal de l'enquête. Ton nom sera mentionné en toutes lettres. De la sorte, tu monteras tout de suite en grade. C'est une affaire importante, n'aie garde de l'oublier.

— Je suis un Arabe, chef, doublé d'un Africain. Si la civilisation est entrée dans ma tête, c'est par ses côtés concrets. Par exemple, je sais que *souk* veut dire *marché*. Et vice versa. Quant à l'abstrait, c'est rien que du vent pour moi. Les fils du désert savent que le sirocco ou le simoun soufflent et passent par-dessus leurs têtes. Il n'en reste rien.

D'un interstice éntre deux incisives, il venait d'extraire quelque chose qui sembla !e remplir de stupeur. Vrai, était-ce un filament de viande?

— Qu'est-ce que tu veux à la fin des haricots? cria le chef.

— *Ouka* toi pas te mettre en rogne, chef. On cause démocratiquement, amicalement. Je me souviens qu'un jour le coiffeur de la médina voulait à toute force me raser le crâne avec son coupe-chou, la boule à zéro. Je lui ai dit... Oh! ce que je veux, chef? Pas grand-chose. Le Règlement stipule expressément...

— Ça va! hurla le chef. Tu as les pleins pouvoirs. Tu as carte blanche, pour la durée de l'enquête.

L'inspecteur Ali porta à sa bouche le brin de viande : il ne fallait rien gaspiller dans le Tiers Monde. Il jeta l'allumette : elle ne servait plus à rien. Il dit :

— Je te suis bien reconnaissant, chef. Mais nous ne sommes plus à l'époque moyenâgeuse de la parole donnée. Nous vivons, hélas, en un siècle de fer où tout est écrit.

— Ma parole doit te suffire, nom d'un chien!

— A moi, oui. Au XVe siècle ou même au XIXe, je l'aurais acceptée les yeux fermés, comme un lingot d'or. Mais il y a les fluctuations, les cours du change. Alors, tout comme les devises, la parole est devenue flottante de nos jours. Et il y a ce salaud de Règlement qui spécifie, dans la situation qui nous occupe, que tout doit se faire par écrit : article 3, alinéa VII. Il me faut par conséquent un ordre de mission écrit et signé de ta main de chef. Tu dois avoir le matériel dans ton sac de voyage : stylo, formulaires, tampon et tout ça.

Ils dialectiquèrent longtemps, palabrèrent dans toutes les directions imaginables, en vinrent presque aux coups. Obstiné, l'inspecteur Ali ne varia pas d'un iota grec : il connaissait la Loi et non un ersatz de loi ou sa cousine ou sa concierge; il n'entrait nullement dans son intention de la violer, même avec de la vaseline, lui qui était le tombeur de la médina et de la police réunies; après tout, puisque le discussion tournait au petit lait, il avait changé d'avis et entendait rester ce qu'il était, un simple inspecteur sans responsabilités et sans avenir, *incha Allah!*... Il finit par obtenir satisfaction.

— Voilà ton torchon de papier! dit le chef. (Sa voix était curieusement enrouée.) Tu es content, tête de crocodile?

— Par Allah et le Prophète, tu le demandes?

— Alors tope là!

Ils se serrèrent la main. Celle du chef était moite.

Équitablement et en silence, ils se partagèrent les sand- wiches bouillants de fièvre, le café du Thermos, une coulée gluante de ce qui jadis avait été du chocolat, des oranges dont l'inspecteur Ali consomma allégrement le jus et la pelure. Les pépins, il les projeta à mesure droit devant lui, avec la force d'un lama. L'un d'eux faillit atteindre le chef à l'œil droit. Mâchonnant, l'inspecteur pensait à plein régime : ma foi, il y avait de bonnes choses dans ce pays, aussi sûrement que huit plus neuf faisaient... faisaient combien au juste? Soudaine, sa promotion ne pouvait que le rapprocher de ses deux futures épouses dont la seule évocation lui picotait les lombes. Foi d'animal, il allait naviguer en conséquence, magouiller en guise d'arguments. Le chef était neutralisé pour le moment, autant dire acculé dans son trou et dans son échec. Qu'Allah dans sa grande miséricorde continue de chauffer le soleil à blanc et de déverser une température d'enfer sur cette montagne! Merci, mon Dieu! Louange à Toi!... Quant aux grands chefs de la police, même s'ils avaient bien lu et su interpréter les rensei- gnements codés sur les terminaux de l'ordinateur, au Central, il y avait moyen de les posséder proprement. L'inspecteur connaissait les ficelles et les nœuds. Et d'abord, qu'est-ce que c'était que cette histoire? Un terroriste ici — *ici,* parmi ces montagnards coraniques? Étrange, très étrange!

Il disposait encore d'un jour et demi d'hospitalité, voire de quarante-huit heures. Temps immense, par Allah et le Prophète! Il allait mener cette enquête à sa manière : descendre les échelons de la hiérarchie au lieu de monter sur la tête des autres. On pouvait tirer un âne avec une ficelle, mais non le pousser. On ne pouvait pas non plus le forcer à boire, s'il n'avait pas soif. Les officiels d'en haut, il n'en avait rien à foutre. Ils étaient loin d'être marrants. Rien que des ordres, rien que la contrainte, la peur. Et puis, il n'était pas né de la dernière billevesée. Le rouler tout vivant dans la farine, lui, comme un congre? Il savait bien ce que le chef avait téléphoné à sa tête, il le savait de science certaine. Cette espèce de gougnafier s'était dit avec sa petite ruse qu'il était coincé chez ces paysans dont il ne pouvait tirer rien d'autre que du foin; que son subordonné allait travailler à sa place et faire la sale besogne comme un immigré; et qu'ensuite, une fois l'enquête terminée, il fabriquerait un rapport sur lui, de quoi le virer et le liquider à tout jamais. Ils étaient tous comme ça, les chefs! Tout pour eux, rien pour les autres, et leur parole ne valait pas un pet de klebs ni oralement ni par écrit.

La partie de bras de fer était engagée, comme entre Khomeiny et Carter. Qui allait l'emporter? L'Islam du Moyen Age ou la technologie des *Lamirikanes*? L'inspecteur paria les yeux fermés sur le vieux patriarche de Qoum. Il avait dit qu'il aurait la peau du shah et il l'avait eue. Il aurait par conséquent celle du président. Et lui, inspecteur, il battrait le chef Mohammed avec ses propres cartes. Il s'appelait Ali comme tout le monde, fils d'un pauvre gardien de four et d'une domestique qui n'avait eu ni joie ni vie ici-bas. Il était maintenant chez les siens, dans sa tribu, nanti de tous les pouvoirs.

— *Allah akbar!* entonna-t-il d'une voix de stentor.

— C'est ça, approuva le chef, que Dieu t'assiste dans cette mission périlleuse. Fais honneur à ton chef.

L'inspecteur se leva comme un ayatollah et sortit en rendant grâces au Seigneur. Il avait les larmes aux yeux.

9

A la fin de l'après-midi, il connaissait le village pierre par pierre. Qui prétendait qu'il n'y était pas né et n'y avait pas passé toute sa vie? Tout de suite, il s'était précipité vers Hajja, le cœur ouvert et la parole chaleureuse dans les relations humaines.

— Hajja! Ô Hajja! lui avait-il dit en salivant abondamment. Comme je suis heureux de te revoir et de bavarder un petit quart d'heure avec toi! Jusqu'à la tombée de la nuit, si Dieu le veut, n'est-ce pas? Tu veux que je t'allume ton feu? Où est-ce que ça se passe? Je sais brasser la pâte et cuire le pain à la manière d'autrefois. Hajja, petite mère, il est arrivé une histoire du diable. L'adulte avec ses trente-deux dents qui s'appelle Mohammed, dit le chef, était déjà zinzin à sa naissance. Son père était flic, forcément — un *lasourti* * au service des chrétiens. Et puis, avec l'Indépendance comme on dit, il est devenu *lasourti* lui-même, mais un *chef-lasourti,* dis donc! Voilà la grande différence. Total chez l'épicier : il est zozo. Ou bien il se met en *kouriyya*, la colère noire du Soudan; ou bien il divague et déménage. Et, en plus, il est incapable de supporter le moindre rayon de soleil printanier comme en cette belle journée de Dieu. Voilà-t-il pas qu'il vient de me raconter qu'il

---

* *Lasourti :* policier; vient du français classique *la Sûreté,* tout comme *chemins de fer* se dit *chmindifir* et *électricité* se dit « couramment » *tricinti.* La coopération culturelle.

se promène par ici, dans ce village, un dangereux criminel!
Qu'est-ce que t'en penses, Hajja?

— Qu'est-ce que tu racontes?

— Ce n'est pas moi qui raconte, grand-mère. C'est lui, avec
sa langue agitée.

— Quel est ce mensonge borgne et boiteux? Cette chose n'a
pas de nom!

— C'est le chef. La plaine est la plaine, les villes sont les
villes, il s'y passe des trucs pas possibles. La civilisation des
Roumis a dû lui mélanger la tête, c'est évident. Il n'a plus rien
d'un indigène comme toi et moi. Tu me dis que c'est des trom-
peries et je te crois. Par Allah et le Prophète, tu me rassures
grandement. Moi qui te parle à cette heure, j'ai toujours su
mettre le blé avec le blé, les chiens avec les chiens et les mensonges à la poubelle. C'est rien que des ordures de mots! Car
par quel prodige du roi Salomon peut-on faire de la subversion sur cette montagne grandiose? hein?

— C'est quoi, subversion?

— Il y en a qui disent que c'est la porte qui mène vers la
liberté; il y en a d'autres qui prétendent que c'est une porte de
prison. Va donc savoir! Écoute, petite mère, parlons de choses
sérieuses puisque ni toi ni moi ne sommes des petits garçons,
encore moins des mabouls. Au nom de Dieu clément et miséricordieux, dis-moi leurs noms.

— Quels noms? Arrête de sauter des céréales aux questions
qui t'emportent la bouche. Tu vas finir par me donner le tournis.

— Tu crois que le tournis n'est pas dans mon cœur? dans
l'âme humaine qu'Allah m'a donnée? Voilà l'histoire, Hajja :
je remontais le sentier tout à l'heure, je venais de bavarder
paisiblement avec Raho, je ne pensais à rien, tout était endormi
à l'intérieur de ma peau : rate, poumons, foie et le reste. Et
puis... et puis, qu'est-ce que je vois là, devant moi, à les toucher? Deux... deux houris descendues du paradis enveloppées

de beauté, de grâce, de... C'est rien que des apparitions, n'est-ce pas?

— Yasmine et Yasmina? mes petites-nièces?

Il la souleva aussitôt dans ses bras, l'embrassa sur les joues, le front, les cheveux. Elle sentait bon le clou de girofle, l'ignorance et la vérité. Il la reposa à terre, se mit à pirouetter avec elle en une danse endiablée. Elle se débattait un peu, riait, âgée et heureuse.

— Yasmine et Yasmina! Yasmine et Yasmina! Ma parole d'honneur, ce sont les noms que je préfère! Elles ne pouvaient pas en avoir d'autres.

— Lâche-moi... Arrête, arrête!...

Le rire de Hajja était un orchestre de fifres et de cymbales.

— Ce jour est ma joie, s'écria l'inspecteur. Je bénis Dieu, je Le remercie de les avoir créées, je Lui rends grâces infinies depuis ma naissance jusqu'à mon dernier souffle. Je me demande comment Il a fait... les façonner comme ça, avec tant de perfection, de Sa main auguste! Il m'est bien arrivé une ou deux fois dans mon existence d'Arabe errant de contempler des fleurs de jasmin. Elles sont jolies, ma foi. Leur parfum est enivrant. Mais rien à voir avec ces créatures de l'Éden, crois-moi. J'ai de bons yeux. Et ce sont tes petites-nièces! Donne ta main que je l'embrasse, comme elle le mérite! Comment, par quelle aberration je ne les ai pas remarquées hier soir? Il est vrai qu'il faisait sombre, mais leur beauté aurait dû m'éblouir de loin, instantanément.

— Tu avais le nez sur le tagine, dit-elle.

— C'était délicieux, Hajja! Je m'en souviendrai toute ma vie. Pour cela aussi, je te bénis. Alors voilà l'histoire : il m'est impossible de choisir l'une ou l'autre. Elles sont pareilles. Et puis, je ne voudrais pas les séparer. Tu comprends, petite mère?

— Non, fit innocemment Hajja.

— J'étais bien tranquille dans ma petite vie traînant comme ça de jour en jour, ni chef ni larbin. Un à-peu-près d'Arabe libre et souverain comme on dit. Mais tu ne fais pas de *bou-litik,* n'est-ce pas? Tu as bien raison. Je m'étais même marié pour ne pas être un pauvre solitaire. Jadis ma femme était plus jeune, fraîche et naturelle comme l'avoine. Hajja, ma parole d'honneur, la ville abîme les gens. Ne va pas y vivre, surtout. Elle rend les femmes teigneuses au-dehors et sèches à l'inté-rieur, sans jus si tu vois ce que je veux dire — mais tu es loin d'être un homme. Née comme toi à la campagne, ma femme s'est retrouvée un beau jour dans un petit appartement en béton (c'est des pierres artificielles) où elle ne fait que tourner, tourner et attendre. Attendre quoi? Va donc savoir. C'est bien simple : je la répudie dès demain *incha Allah,* je la renvoie à son *douar* d'origine... à moins que celui-ci n'ait été acheté par le Klebs Méditerranée et aménagé *exotik* pour les *tou-riskes?* Ah oui, alors! j'aurais mieux fait de vivre avec ma solitude. La patience est-elle une vertu coranique, oui ou non?

— De quoi tu parles, mon fils? demanda lentement Hajja.

Elle avait un œil mi-clos; l'autre était grand ouvert, comme exorbité.

— De ma vie d'égaré! s'écria l'inspecteur au comble de la dépression. Je suis un maudit. Qu'est-ce que j'ai récolté à lon-gueur d'années entre mon travail et cette bonne femme qui fait rarement l'amour et tout le temps la gueule, matin et soir? Mon travail! Tu veux que je te dise, Hajja? Tu veux savoir en quoi consiste mon travail au gouvernement? C'est de la chiennerie, pas autre chose. Pister et arrêter les gens. Des gens que je ne connais ni d'Ève ni d'Adam et qui ne m'ont rien fait, à moi. Ah, saloperie! saloperie! Et, quand je rentre chez moi, il n'y a même pas de bouffe ou alors c'est dégueulasse. Et voilà que mon chef me traîne ici pour arrêter l'un des vôtres! Il est fou. Un de ces jours, je vais pister ma propre ombre et m'arrêter moi-même! Je suis un pauvre orphelin.

Deux ou trois minutes auparavant, l'enthousiasme et le désir le soulevaient littéralement à trente centimètres du sol.

A présent, son visage était crispé, sillonné de larmes. Sa sincérité ne faisait aucun doute à l'œil nu.

— Calme-toi, disait Hajja, défaite dans ses sentiments. Calme-toi dans un petit moment, mon fils de la plaine. Tu n'es pas encore orphelin de toi-même.

Debout, rigide, il regardait à travers la vieille femme comme si elle eût été en verre, psalmodiant une sourate du Coran qu'il avait apprise péniblement dans sa prime enfance :

— *Je ne jurerai pas par ce pays — Je m'en irai de ce pays — Je quitterai mon ascendance et ma descendance — L'homme y est si... si misérable...*

— Amen! conclut Hajja en l'embrassant sur l'épaule gauche. Arrête, mon fils. Tu fais des fautes à réveiller les califes dans leurs tombes. Dieu te pardonne!

— C'est mon seul héritage, Hajja. Et je l'ai mélangé avec la civilisation et la police. Heureusement que je ne comprends rien au hard rock! Dis oui. Fais-moi plaisir, rends-moi ma joie. Dis oui tout de suite.

— Oui, répondit-elle aussitôt sans comprendre. Oui quoi? De quoi tu parles maintenant?

— De mes fiançailles avec Yasmine et Yasmina. J'ai une bonne situation, des meubles en Formica. C'est du bois brillant et moderne, bleu comme le ciel qui est là-haut, au-dessus de nos têtes. Je te fais cadeau d'un fauteuil en Skaï. Le Skaï, c'est du cuir mieux que le cuir des animaux. Tu verras. Tu seras bien assise là-dedans, comme tu le mérites. Le reste, je le bazarde au souk : casseroles, Butagaz, lavabos, bidets, portes et fenêtres, téléviseur, baignoire. Je bazarde tout, je vide mon livret de caisse d'épargne, mon compte en banque. Comme ça, j'aurai du *flous* et je serai tranquille. Sans compter mon indemnité de licenciement si le gouvernement n'a pas oublié le sens de la *baraka*. Parce que voilà ce que je vais faire : démissionner et venir m'installer ici parmi vous. Je suis un paysan égaré dans la police. Comme dit le Coran, je ne jure-

rai plus par cette bon Dieu de ville, je quitterai cette putain
de société...

— Arrête! arrête! Tu blasphèmes.

— Tu ne connais pas la ville, Hajja. Sinon tu blasphéme-
rais tout autant. Les maisons sur la place du village, je les
achète. C'est facile, du moment qu'il y a le pèze et la braise.
Tu dis qu'elles sont en décombres et qu'il n'y a que des pans
de murs? Mais j'ai deux bras, voyons! et deux mains que
voilà. Une maison pour toi, une pour Raho et une pour moi et
mes deux épouses. Nous formerons ainsi une seule et même
famille. Si j'étais toi, petite mère de mon passé, je n'hésiterais
pas une seconde devant un avenir aussi lumineux que ce
soleil. Et puis, je suis jeune et beau. Dis oui.

Hajja avait baissé la tête et semblait compter les cailloux
entre ses pieds nus. Sans aucune expression elle dit :

— Tu aurais dû me dire tout cela hier soir... ou même ce
matin...

— Pourquoi? Mes deux fiancées sont promises?

— Non-non! Oho!

— Eh bien alors?

Elle garda le silence un bon moment, les yeux baissés,
remuant les orteils. Puis elle dit :

— Tu devrais en parler ce soir à Raho. Au conseil du village.

Elle ajouta d'une voix très émue :

— Il va y avoir une grande fête.

— Ah! c'est pour ça que les Aït Yafelman ont sorti ce matin
des tambours et des instruments de musique?

— O-oui, répondit-elle dans un souffle.

Il la serra dans ses bras, l'embrassa sur la tête. Elle sentait
le paradis.

— Béni soit le Seigneur! Ce jour est le premier de ma vie, par
Allah et le Prophète! Des fiançailles, un changement total
d'existence, un repas pantagruélique qui m'attend ce soir, des

chants et des danses... Touche mon cœur, Hajja : il est bouil
lant, prêt à éclater. J'ai bien fait de venir ici, crois-moi. Le
Destin est formidable. Au nom de Dieu clément et miséricordieux, maître des mondes et roi du Jugement dernier, je te
demande, je vous demande à tous l'hospitalité pour toujours.
Pour toujours.

Sanglotante, Hajja mit un pied devant l'autre et, l'un après
l'autre, lentement, comme une somnambule, elle s'en fut droit
devant elle. L'inspecteur était sûr et certain qu'elle pleurait de
joie.

— Elle est sensible, se dit-il. J'en fais trop. Je ferais pleurer
un bœuf.

Et l'enquête? Ah oui! l'enquête...

Rapport :

— Ça marche, chef. La piste est chaude, savonnée au savon
noir, ça roule tout seul. A tout à l'heure. Ne te fais plus de
soucis.

— Comment fais-tu? demanda le chef qui avait eu le temps
de maigrir.

— Hein?

— Comment fais-tu pour affronter une telle fournaise? Tu
es en bois ou quoi?

— C'est une question de peau et d'équilibre, chef. C'est évident. Et puis, je vais bien bouffer ce soir. Tu comprends?

— Non.

— Ça me donne des ailes pour vivre et une conscience professionnelle dix sur dix pour travailler. Toute peine mérite
salaire — et quel salaire en perspective! Bon. A tout de suite,
chef. Un quart d'heure à tout casser. Disons une heure. Bouge
pas. Inutile de te mettre martel en tête.

Il fit un salut militaire et tourna les talons. Allégrement. Ce chef ne valait pas un clou, même rouillé. Hier encore, environné de l'aura artificielle de son pouvoir, il était un marteau. Toute une boîte à outils frappants et vissants, putain de sa mère. Et qu'était-il à présent, hein? Une espèce de chambre à air dégonflée, une outre crevée, une simple loque. Par la grâce de Dieu, l'inspecteur Ali n'allait pas tarder à lui dire : « Mohammed, prends ta chemise et essuie-moi les pieds. » Dans son délire enthousiaste, tandis qu'il pérégrinait à la recherche d'un nouveau palabre avec un autre membre des Aït Yafelman, il se mit à se raconter une belle histoire des temps modernes accommodée à la sauce de Haroun-Arrachid, brodant au gré de sa nature débordante de générosité : et si... Et si, par l'effet du soleil, les statues venaient à être déboulonnées? Plus de boulons, plus de statues. Il arrivait bien que des écrous de roue de bagnole se desserrent en cours de route et tombent en chemin? La bagnole se casse la gueule et l'Histoire change de sens et de camp, n'est-ce pas? « Voyons, se dit-il. » Et il éclata de rire.

Voyons, supposons sérieusement que ces chefs, petits ou grands, tous tant qu'ils sont, soient soulagés par la force des circonstances (un accident de la route, une espèce de magie technologique, un revirement imprévisible de l'Histoire) de leurs boulons et de leurs écrous et se retrouvent du jour au lendemain ici, dans les grottes de cette montagne? Que feraient-ils? Que seraient-ils et que diraient-ils? Ils essaieraient bien de prétendre qu'ils sont *eux*, en chair et en os, bien entendu. Mais personne ne les croirait, ne les prendrait au sérieux. Hajja leur dirait sûrement : « Dégagez de là. *Roh! fissa*. Allez jouer avec vos dents et ne me racontez pas de salades. » L'inspecteur riait, riait et se frappait les cuisses. Non, ils n'en imposeraient à aucun de ces paysans qui ne les reconnaîtraient pas. Qui ne les avaient jamais connus et qui n'en avaient rien à foutre.

Et puis, le rire s'étrangla net dans la gorge de l'inspecteur. Il ralentit le pas et dit à voix haute :

— Ça va pas la tête, toi?

— Non, répondit-il, ça va pas du tout. J'arrête pas de penser à ces deux gazelles. Ça me fait délirer.

Son ombre avait tourné avec le soleil. Elle se trouvait à présent à sa gauche, s'allongeait imperceptiblement tandis qu'il marchait. Il la regarda avec effroi. Mais non! jamais on n'avait vu la moindre statue déboulonnée, du moins dans ce pays qui ignorait jusqu'au sens de la révolution. « Ali, ils étaient aveugles ou dingues, les gars qui t'ont engagé dans la police? Comment as-tu fait pour passer entre les gouttes? » Diable de diable, qu'était-il en train de manigancer dans sa tête? La révolution? A lui tout seul? « J'étais bien tranquille, se dit-il. J'avais un bon job de flic. Quelque chose de sûr, avec un chèque à la fin du mois. Un avancement lent et pénible, mais je suis loin d'être vieux. Je travaillais couci-couça, selon ma nature. Il m'arrivait bien de fulminer en dedans, trop de choses qui me mettaient en rogne. Mais je ne pensais pas. JE NE PENSAIS PAS. Le chef Mohammed a bien raison de dire que les insectuels sont des malades de la tête. »

Il fit halte. Porta la main à son front. Il était chaud. Fiévreux. Dans un instant il allait se lézarder. Plusieurs éléments contraires catchaient avec des coups bas entre ses sourcils et la naissance de ses cheveux, des forces centrifuges, centripètes et d'autres qualificatifs dont il ignorait le nom, qui tintamarraient dans son crâne comme des loubards : Yasmine et Yasmina, le retour à la terre, l'enquête qui ne faisait que commencer, sa bonne femme, le chef et la police dans son ensemble... et le devoir qui vous rattrapait par le cou dans le moindre bled perdu et l'État qui ne se laisserait sûrement pas faire comme un gamin et la propre peau de l'inspecteur. Comment allait-il la sauver? Qui lui montrerait le chemin? Assoiffé, qui donc l'abreuverait de vérité et de salut? En un mot, quelle était la combine des combines?

Avant que d'être civilisé au prorata, lorsqu'il était adolescent sans toit ni échelle des valeurs et qu'il mûrissait un mau-

vais coup pour assurer sa subsistance, il agissait instinctivement à la manière d'une vache mâchant et ruminant pendant
des heures la même bouchée d'herbe ou de foin. Une seule
idée à la fois, telle était sa démarche. Quand d'elle-même l'idée
s'usait tel un bâton de réglisse, il la crachait dans le caniveau
et en étrennait une autre. La patience amenait la *baraka*.

Si étranger et étrange qu'il fût, l'apport de l'Occident l'avait
contraint peu à peu à faire cohabiter dans sa tête, *en même
temps,* plusieurs solutions face à un problème donné et, au
moment de la décision, à en tirer une honnête moyenne : un
quart de chèvre, un quart de chou, le reste était de l'eau de
boudin en guise d'excipient. Si le produit final correspondait à
ce qu'on avait attendu de lui en haut lieu, ce n'était pas sa
faute. Un miracle sans doute, la preuve par 9 qu'Allah coexis-
tait avec les paperasses administratives et s'accommodait de
l'ordre copié sur l'Occident chrétien. Il fallait ce qu'il fallait
puisque Ali était Ali. A position de subordonné, réaction
subalterne. Cette philosophie du juste milieu l'avait maintenu
en poste — et en vie. Il était très bien là où il était, ni en bas ni
en haut. A quoi pouvait rimer l'ambition sinon à une accumu-
lation de responsabilités et à un survoltage de son pauvre
cerveau? N'était-il pas un parfait optimiste, un « libéral
enragé » qui ne voulait pas envisager l'avenir (Oh! non, à
aucun prix! Il était trop complexe. Plutôt se voiler la face et
naviguer à vue!), mais au contraire considérait attentivement
son passé — et celui qui n'avait guère changé de nombre de
ses compatriotes? Oh oui, alors! il avait bien de la chance!

« Voyons, se dit-il en ce 12 juillet 1980, au milieu de l'après-
midi, avec le vaste ciel pour témoin. Voyons. Je ne peux plus
ruminer une seule idée à la fois comme à la belle époque. Et
ça ne me mènera qu'au cabanon si je continue de penser à
trop de choses à la fois, c'est sûr. C'est peut-être chrétien, ce
n'est pas musulman. Vide ta tête, Ali. »

Il avait le don rare entre tous de libérer son esprit à volonté.

Et c'est ce qu'il fit instantanément. C'est-à-dire qu'il plongea la main dans la poche de sa gandoura, prit une pièce de monnaie, paria avec lui-même par Allah et le Prophète que :

1) Pile : il rentrerait dans le droit chemin, ferait sérieusement l'enquête autant que chose se pouvait... Ne lâchons pas la proie pour l'ombre ni la queue du chien pour ses dents.

2) Face : il ferait la paix et l'amour jusqu'à la fin de sa vie. Enfin presque, autant que la chose se pouvait.

Fermant les yeux, il lança en l'air la pièce de monnaie. Il ne la revit plus jamais, malgré toutes ses recherches à quatre pattes, sous le regard médusé de quatre ou cinq gamins qui se tenaient immobiles à quelque distance. Se pouvait-il que l'un d'eux courût plus vite que la pensée occidentale — et dans les airs, de surcroît? Mais peut-être le sable était-il le sable après tout, ténu et abondant, rebelle à toute fouille archéologique. En conséquence, il envisagea une troisième solution : prendre la voiture dare-dare avec ses pneus à plat, rouler sur les jantes si nécessaire jusqu'à la première cabine téléphonique et réclamer de toute urgence un nouveau chef qui, celui-là bon Dieu, supporterait sans broncher une haute température et des paysans issus en ligne directe du Moyen Age. Quant au chef Mohammed, par pitié et au nom de Dieu clément et miséricordieux, qu'on vienne le chercher en hélicoptère. Qu'on apporte une civière et le matériel de réanimation! Vite, vite, vite! Il était déshydraté, le pauvre, en pleine déliquescence. Tout était foutu chez lui : la cervelle, la rate, l'État.

« Voilà qui est puissamment raisonné », se félicita l'inspecteur.

Souriant d'une oreille à l'autre, il se frotta les mains comme s'il les lavait au savon. Et il conclut *in petto,* mais fermement :

« Demain. Peut-être même ce soir, après le dîner. J'ai largement le temps. Rien ne presse. Une chose à la fois. »

Il ajouta en français dans la pensée sinon dans le texte :

« Cit " Oxyde de dents * ", il est fou, ma parole! Toujours activiste! Ci pour ça qu'il i foutu li camp di chez nous! »

Kifech ne comprend pas. On lui a dit... *Qui* lui a dit de se taire? Il ne se souvient pas très bien. Il y a trop de choses dans sa tête. Et que lui a-t-on dit au juste? Ah oui! Écoute... « Écoute, Dictionnaire. Ne va pas ouvrir ta grande gueule. Pas un mot jusqu'à ce que ces deux étrangers partent... Écoute, Dictionnaire. Ne va pas ouvrir ta grande... » Mais oui, il n'est pas sourd. Il a appris cette phrase par cœur. On la lui a répétée dix fois. Non, douze. Il a compté sur ses doigts.

Mais pourquoi l'appelle-t-on ainsi, Dictionnaire, Savant? Son nom est Kifech **, aussi loin qu'il se souvienne. Bien sûr, il en sait des choses. Pourquoi doit-il les garder pour lui? Ce n'est pas juste. Cet homme qui entre dans les grottes et en sort à tout bout de champ cherche quelque chose. C'est évident. Il inspecte, il interroge. Il rit, parle tout seul. Kifech pourrait l'aider. Il a une grande expérience de la vie. Il a été en ville, il y a travaillé. Toutes sortes de métiers brefs. On l'a chassé de partout. Pourquoi? Il n'a fait aucun mal.

Portier dans un hôtel, avec un joli uniforme. Le seul costume qu'il ait eu dans sa vie. A peine une semaine. Non, dix jours. Auparavant... Oui, c'était le bon temps, il avait une petite échoppe dans la médina, il vendait de la limonade. Pour attirer le client, il avait acheté un poste de radio. Presque un meuble. Dès l'aube, il tournait le bouton, à fond, dans le sens des aiguilles d'une montre. C'était très simple. Et il ne le tournait dans l'autre sens que tard le soir, très tard, quand il était vraiment fatigué. Qu'elles étaient joyeuses, ces chansons populaires, mon Dieu! Tambourins, luths, flûtes, fifres, refrains

---

* Tout comme l'inspecteur Ali, les concepts mettent mon cerveau à rude épreuve s'agit-il là d'un produit chimique ou de l'Occident?

** *Kifech* signifie « quoi? », « comment? » C'est un surnom.

repris en chœur avec des claquements de paumes. Les bou
teilles de limonade en vibraient dans leurs casiers, Kifech aussi
qui hurlait les rengaines de tout son cœur. Pourquoi les voi-
sins venaient-ils lui montrer le poing? Ils n'aimaient pas la
musique? *leur* musique? Et que lui disaient-ils, bouche ouverte?
Pour un peu, ils lui auraient cassé son poste à coups de pierre.
Mais il l'avait sauvé. Il l'avait chargé sur ses épaules et il avait
quitté la ville un jour, droit devant lui en direction de sa montagne natale, sans même fermer la porte de sa boutique. Les
gens d'en bas n'aimaient pas la joie, sûrement. Ils buvaient
leur limonade et faisaient ensuite la grimace. Ah oui! comment
avait-il transporté la radio à travers champs, routes, rails et
monts? Il ne s'en souvenait plus. C'était si loin dans le temps.
Mais le poste était là depuis lors, dans la caverne où il vivait
avec ses parents et ses frères et sœurs. Il n'y avait plus de
musique, il avait beau tourner les boutons, tous. Matin et soir.
Peut-être cette chose ne marchait-elle qu'en ville?...

Avait-il travaillé auparavant dans les PTT? Lui? Comment se rappeler les détails d'une existence aussi pleine? On
lui avait dit... on lui avait expliqué (« Je sais, avait-il répondu
aussitôt. Je sais »), on avait pu placer les mots nécessaires
pour lui signifier quelle devait être sa tâche : la tempête avait
sévi la veille (« Oui, je sais, je l'ai entendue ») dans la montagne et que lui, Kifech, était un montagnard, il connaissait
par conséquent la région (« Oh, je sais. J'y suis né. Je sais. »)
et il pourrait suivre le câble téléphonique à travers les ravins
et la forêt de cèdres (« Je sais, c'est facile. »); peut-être le câble
était-il tombé, voire cassé et, dans ce cas, voici les outils nécessaires pour le raccorder : « Je sais, conclut-il. » Et il s'en fut
gaiement. Longtemps plus tard, le téléphone ne marchait toujours pas. Pourtant, Kifech avait fait le nécessaire à l'aide
d'une grosse ficelle...

Kifech ne comprend pas le monde. Pourquoi les Aït Yafelman vivent-ils comme des bêtes traquées? Pourquoi renoncent-

ils à tout? On dirait qu'ils se cachent, mais de qui ou de quoi? Aussi loin qu'il se souvienne, il ne voit que des fuites, des talons soulevant la poussière. Pourquoi, passant devant lui, Hajja porte-t-elle vivement un doigt à ses lèvres? Quel est le secret? Mon Dieu, que doit-il ne pas dire?...

A l'écart des enfants et des adultes, afin d'être en mesure de mener une partie cruciale, Bourguine avait tracé de l'index un cercle approximatif sur le sable, s'était assis dans ce rond comme pour délimiter sa méditation, et il avait sorti un jeu de cartes du néant. L'instant d'avant, ses mains étaient ouvertes, paume en dessous, côte à côte au niveau de ses yeux. Il les abaissa, les referma et, quand il les rouvrit, il apparut entre elles un éventail volant de cartes.

Il les battit, les rebattit en spirale, coupa. Compta deux paquets égaux, séparés d'un pied l'un de l'autre. Maintenant allait commencer l'épreuve. Jamais il ne l'avait réussie. D'habitude, quand il jouait au poker avec lui-même (contre le parfait *alter ego* qu'il était), il le faisait en toute équité : la main droite était la sienne, la gauche celle de son partenaire invisible et d'autant plus présent. Il gagnait le plus souvent, contre son gré, sans tricher. Il était ambidextre. Quelquefois, c'était *l'autre* qui raflait les mises. Il les lui remettait sans rechigner — dans la poche gauche. Le jeu était le jeu. Le hasard aussi.

Le Destin recélait-il une part de hasard? Il fallait contrôler. Tenter l'épreuve. Il y pensait depuis la veille au soir, après avoir reçu les instructions de Raho. Un pli pour lui, celui à main droite. Le deuxième appartenait à... oui, à Dieu. Bien sûr, c'était un grand blasphème : le Créateur sublime n'était pas un flambeur, n'avait nul besoin de tierce ou de flush pour peser ses décrets. Il avait formellement interdit les jeux de hasard dans son Livre. Mais cet indigène de la ville était bien sympathique. Émouvant dans sa simplicité. Il n'y avait pas le mal en lui. Il venait même de demander la main de ses sœurs jumelles. Hajja avait dit et répété qu'il était sincère. Elle connaissait la nature humaine. Mais Raho ne se fiait qu'aux étoiles. Elles étaient plus permanentes que les êtres humains.

Deux tas de cartes bien égaux, bien égalisés, aucun moyen de deviner. L'un d'eux contenait la mort. Si la première carte noire sortait du côté de Dieu, à Lui seul appartiendrait le Destin comme de toute éternité. Dans le cas contraire, il fallait obéir aux ordres de Raho. Le vieux montagnard avait interrogé les astres. Il savait ce qu'il faisait.

Lentement, comme à regret, il prit la première carte, la retourna : dix de cœur. Et du côté de la Providence? qu'y avait-il? L'as de carreau. Jamais Raho ne s'était trompé. Il tirait ses divinations de la haute Antiquité. Une sorte de science dont il lui avait parlé parfois. C'était le seul héritage que lui avaient transmis ses lointains ancêtres. Tout dépendait peut-être de la troisième carte. Rouge ou noire?

Une ombre se projeta soudain devant lui et une voix joyeuse dit :

— Ah! salut, Bourguine! Je te cherchais.

Avant de se retourner, avant même de sursauter, Bourguine sut que la carte était celle de la mort. Il la souleva juste par un coin, hocha la tête. C'était écrit. Dommage.

— Salut, mon frère, répondit-il.

L'inspecteur Ali s'assit en tailleur et fit comme s'il reprenait une conversation interrompue par un léger incident. Que ce fût avec Hajja, Bourguine ou quelqu'un d'autre, par Allah et le Prophète c'était la même! Parlait-il plus qu'il n'écoutait? Vraiment? Et quelqu'un dans ce village travaillait-il par hasard? Avait-il une occupation quelconque? Ali ne ressemblait ni de près ni de loin au chef Mohammed et, en conséquence, il n'allait pas poser des questions stupides, du genre : y avait-il une usine à une lieue à la ronde ou tout au moins une petite fabrique? Si les allocations de chômage ne parvenaient pas jusqu'à cette montagne, y étaient inconnues même de nom ou de signification, alors de quoi vivait-on? Tu dis, mon frère, que pour aujourd'hui il y a de quoi ne pas mourir de faim et que c'est bien assez, louange à Dieu? D'accord, loué soit le Seigneur qui pourvoyait à la nourriture des petits oiseaux, mais demain? As-tu pensé au lendemain qui ne chante guère en ce siècle de fer? Je sais bien qu'après l'été viendra l'automne, c'est forcé. Et peut-être même la saison des pluies... Ah! on retournerait dans ce cas quelques arpents de terre pour les ensemencer et après *incha Allah?* Au beau milieu d'une phrase sur la culture intensive du maïs, il lança à brûle-pourpoint :

— *Ti causes francès li voyage litranger? Habla spañol protuguese youspik lamirikane Cuba jawohl da?*

— Tu as la sécheresse dans la gorge, mon frère? dit Bourguine.

— C'est pas toi! conclut l'inspecteur en poussant un soupir de soulagement. Je suis bien content. Je me disais aussi...

Et sans plus tarder il passa au plat de résistance. Voilà l'histoire : la pièce de monnaie s'était perdue quelque part, peut-être dans ce salaud de sable, peut-être dans la poche de l'un de ces garnements désœuvrés à longueur de journée. Va donc savoir! Au surplus, il ignorait totalement de quel côté elle était tombée. Pile ou face? Va deviner! Il avait bien d'autres pièces, mais guère l'envie de parier de nouveau. Le moment propice était passé, l'inspiration s'était tarie. Pour éviter la gigantesque confusion mentale qui le guettait, il prenait à témoin son frère Bourguine. Les relations humaines étaient si simples quand on y mettait du sien. Chaudement, avec des accents d'amitié et de nudité, il lui exposa la situation depuis le four de son enfance, aussi sombre que l'obscurantisme, jusqu'à cette enquête insensée qui l'avait amené au village et puis, par Allah et le Prophète, à l'amour bouillant qu'avait déclenché dans son cœur la simple apparition de Yasmine et de Yasmina. Quand il sut que Bourguine était leur frère aîné, il ne se contint plus ni de joie ni de franchise. Il lâcha tout à son beau-frère, absolument toutes les données du problème casse-tête, ne ménageant aucun détail, fût-il un mégot de souvenir ou d'idée. Il avait besoin d'un avis autorisé. Quel était donc le bon choix? Le monde était en train de rétrécir tout autour de sa tête, comme un étau. Fallait-il revenir dans la plaine et la police, et continuer de se taire à l'intérieur de sa peau, tout en « paillassonnant » les gens? Ou bien ne plus jamais redescendre de la montagne et dans ce cas boucler l'enquête avec un nœud coulant — il ne savait pas encore comment, mais il trouverait certes, par Allah et le Prophète et tous les liens familiaux qui nous unissent déjà...

Visage fermé, Bourguine l'écouta mot à mot, le suivit attentivement dans tous les méandres de son exposé. Puis il battit les cartes et dit :

— Coupe.

Ils firent une partie de poker qu'ils gagnèrent tous les deux. Ils trichaient à force égale. Bourguine ne savait trop que penser. Volontairement, il s'était défait de certains atouts afin de conjurer le destin de cet indigène de la ville...

— Chef, tu es bien sûr qu'on ne s'est pas trompé de direction? On aurait dû aller enquêter dans le Nord ou quelque part ailleurs, mais pas ici. Tu es certain qu'on ne t'a pas raconté de bobards en haut lieu pour se moquer gentiment de ta gueule?

Le chef ne répondit pas. Il était écrasé. Par tout : par la chaleur, par les événements, par les mots.

— Comment imaginer une seconde qu'un de ces montagnards ait pu obtenir un passeport? Ils n'ont même pas un pantalon décent comme toi ou moi.

Le chef ne dit pas un mot. C'eût été inutile. Tout était inutile, la raison, le temps, l'espace.

— Je te prie de m'excuser, chef, mais il faut que ça sorte. Ces officiels, je ne prétends pas qu'ils soient pour la plupart mabouls de la tête, agressifs ou violents. Non. Je dis simplement, façon de causer, qu'ils ont ces défauts communs que sont la vanité et la stupidité. Qu'ils nous aient envoyés ici en constitue la preuve, aussi sûrement qu'un chômeur n'a pas de travail.

Le chef ouvrit la bouche et laissa tomber :

— Ils ne peuvent pas se tromper. C'est mathématiquement impossible. Toi, tu peux te tromper. Moi, à la rigueur. Mais pas eux. Et sache qu'ils sont loin d'être ce que tu dis, mets-toi bien ça dans la tête. Sinon, s'ils étaient stupides, ils ne seraient pas là où ils sont.

— Chef, je veux bien les prendre pour des génies. Mais qu'ils essaient donc d'attraper un chat noir, de nuit, dans une pièce obscure, surtout lorsqu'il ne s'y trouve pas. Où veux-tu que je cherche un subversif parmi ces paysans?

— Les grands chefs ne peuvent pas se tromper. Tu me fatigues. Débrouille-toi.

— Qu'est-ce que tu veux dire par là, chef?

— Écoute, toi : ils ont dit que l'individu se trouvait ici. Donc il y est. Un point c'est tout.

— Mais, chef...

— C'est toi qui es dans l'erreur, c'est moi qui ne raisonne sans doute pas comme il faut, ce sont ces culs-terreux qui ont quelque chose à se reprocher. Il n'y a pas d'autre explication.

— Mais puisque je te dis...

— Je ne veux pas le savoir. Trouve un coupable.

— Ah? fit l'inspecteur. C'est comme ça que ça se goupille?

— J'ai dit *un* coupable, ce qui signifie *le* coupable. Il n'y en a pas d'autre.

— Ah! répéta l'inspecteur, dubitatif.

— Tu ne voudrais pas par hasard que nous restions coincés ici à perpétuité?

— Non.

— Tu ne voudrais pas non plus échouer dans la mission officielle que je t'ai confiée et présenter un bilan d'échec aux grands chefs?

— Non.

— Alors il n'y a pas trente-six solutions. Va arrêter ce sale type qui nous fait perdre un temps précieux et qui me met dans l'état où je suis. Va faire ton devoir. Et dans quinze jours, trois semaines, tu auras ta nomination de chef. Je te le garantis.

— Et le dossier?

— Quoi, quoi? quel dossier?

— Il faudra bien en rédiger un, l'étoffer avec de l'imagination. C'est le plus difficile. Il faudra le taper à la machine!

— Plus tard, dans mon bureau. Ne pense pas à ce détail pour le moment. Tu as une arme sur toi?

— Moi? jamais. J'ai ça, dit l'inspecteur en éclatant de rire. Il montra sa main, doigts écartés. En s'en allant, il se demandait de quelle manière légale ou illégale il allait étrangler le chef, si proprement que le diable lui-même n'y verrait que du feu. Un âne passa devant lui, traînant la patte, tête pendante. Il était couleur de poussière. Un instant, l'inspecteur crut le reconnaître. Mais, à ce qu'il lui semblait, le bourricot de Raho était rouge, rouge comme les flammes de l'enfer.

— Bah! se dit-il. Il s'est roulé dans la poussière pour secouer ses puces.

Hajja est partagée entre ses souvenirs verdoyants et la sécheresse du monde qui l'entoure. Cet homme qui vient de lui parler a remué en elle plus que de la pitié : le désir de tout lui donner. Mais elle ne peut plus rien donner, même à ceux qui sont sortis de son ventre. A mesure que les années s'ajoutent aux années, il lui semble que, à des lieues à la ronde, en un cercle de plus en plus grand, les troupeaux s'amenuisent, les récoltes deviennent de plus en plus maigres et le travail des hommes de plus en plus difficile à trouver. Autrefois, les Aït Yafelman descendaient de la montagne, ils étaient tâcherons à la semaine, bûcherons, charbonniers, porteurs. Ils avaient un salaire, ils rapportaient des denrées, voire des vêtements ou des babouches. C'était la fête alors, les chants et les danses des retrouvailles. Maintenant, que font-ils sinon errer et attendre? C'est la vie, tout est écrit. Peut-être Dieu est-il devenu pauvre lui aussi? Qui sait?

Ces pans de murs entre lesquels elle marche à pas lents avaient été jadis des maisons. L'une d'elles était la sienne. Ici étaient nés ses enfants, y avaient ri et pleuré, grandi. Ici, il y avait des jarres d'huile et de miel, de farine. Il avait fallu tout vendre un jour à une personne qu'elle n'avait jamais vue. L'État. Il réclamait depuis des années ce qu'il appelait l'impôt foncier. Peut-être était-ce la coutume des temps présents?

Raho lui avait dit : « Attends. Prépare-toi en cas de besoin. » Il avait ajouté : « Patiente avec ton âme, ne te fais pas de soucis. » Il ne parlait pas beaucoup. Juste les mots nécessaires pour ôter le doute aux humains et les ténèbres à leur existence.

On avait dressé une tente, mais elle était fermée. Devant, une natte sur laquelle elles étaient assises. Elles filaient le couscous dans un grand plat rond en bois, une demi-douzaine de femmes jacassantes et heureuses de vivre. Quand l'inspecteur Ali vint s'installer parmi elles sans cérémonie, retroussa ses manches et leur demanda s'il pouvait les aider, leurs voix décrurent une à une, leurs rires et leurs gestes. Il n'en tint aucun compte. C'était si naturel : il les intimidait! Sans plus tarder, il abattit les barrières sociales et tordit le cou à ce vieux « machisme » stupidement souverain en terre arabe et qui faussait le sens des relations entre sexes opposés. Opposés? qui avait dit cela? Quel misogyne pas beau et pas bandant? Ils étaient complémentaires en toute chose, voyons! l'un suscitant le désir de l'autre (et vice versa) et le conduisant d'étape en étape, harmonieusement, vers ce paradis dont parlait le Coran en un chapitre extraordinaire dont il ne se rappelait que quelques lambeaux. Il prit une poignée de grain et le goûta. Il fit : « Hmmm! », la tête penchée de côté comme un oiseau attentif à l'appel du printemps. Et il se mit à rouler le couscous lui aussi, comme une femme et avec ardeur, réclamant parfois un petit chouïa de la mixture d'eau salée et de beurre fondu contenue dans un bol — ou, mieux encore, un soupçon d'huile d'argane qui donnerait du caractère à la semoule et du tonus au palais. Sous ses doigts agiles, les grains gonflaient à mesure et il les passait au tamis, les étalait au soleil sur un torchon jadis blanc. Trois pierres supportaient une marmite en terre dont il ôta le couvercle. Il goûta la sauce bouillante. Elle était bonne, délicieuse même. S'il y avait des légumes et des pois chiches là-dedans, il y avait également de la viande. Il l'avait vue, de ses propres yeux, quelques morceaux qui surnageaient, les malheureux! De son propre chef, il ajouta une pincée de coriandre, du *ras-al hanout* à tout venant. Il fallait ce qu'il fallait : la vie était formidable.

Durant tout ce temps, il n'avait pas cessé d'agiter la langue en un flot de paroles sans chronologie (ni lien aucun entre ces femmes qui le regardaient les yeux ronds et les boîtes de conserve qu'ouvrait sa propre épouse avec un crissement aigu qui avait le don d'attirer, queue dressée, le chat de la maison et de mettre à vif les nerfs humains... mais c'était terminé, grâce à Dieu et à ces deux beautés couleur de cannelle!).

Filant le couscous, regoûtant la sauce à maintes reprises, touillant à l'aide d'une grande cuiller en olivier, attisant le feu à pleins poumons, il prenait à témoin n'importe quelle créature de sexe féminin qui avait eu le malheur de lui répondre et il enchaînait aussitôt sur tout sujet, très à l'aise dans le réseau inextricable de son processus mental. La vie était la vie, complexe sans doute. Le propre de l'homme n'était-il pas de la simplifier? L'inspecteur Ali en avait vu des vertes et des pas mûres. Et, plus la civilisation avançait à pas de géant, plus l'existence devenait verte, acide, coriace, impropre à la consommation. Vous allumiez un feu de bois et, tant qu'il brûlait, vous pouviez voir ce qu'il y avait autour de vous, regarder vos mains et vos pieds. Mais, dès qu'il s'éteignait, la nuit vous enveloppait, elle était en vous. Ah! Vous ne connaissez pas la ville? Bienheureuses que vous êtes, restez sur la montagne! N'en descendez jamais, malheureuses! En bas, il y a les ténèbres des mots et des actes. La preuve, c'est qu'en ville ne vivent que les animaux domestiques. Ceux qui ont encore un semblant de rugissement, on les enferme dans des zoos. Eh bien, les humains c'est pareil. Et il raconta.

Il raconta d'abondance, sans souci de la vraisemblance : les on-dit, les rumeurs, le téléphone arabe, les adaptations libres de l'événement. Il vida les poches de sa mémoire, étala tout ce qu'il savait, en vrac. Autant de données fluctuantes et sujettes à caution, voire suspectes à flair de flic, mais qui avaient plus de valeur dans l'opinion publique que les faits authentiques. Certains de ces derniers étaient parvenus *top secret* (*lahchoum* en arabe, des dossiers circulant sous le manteau) à ses oreilles d'officiel, à ses yeux aussi — et il les amplifia « africanement » : ils étaient trop secs. Il fallait leur donner toute leur signification sensible, afin de les mettre à la portée de son auditoire. Le verbe était le verbe depuis l'Hégire? Eh bien alors, pourquoi s'arrêter en si bon chemin? Pourquoi ne pas laisser vagabonder la parole vivante à bride abattue?

A trop museler sa monture, on risquait de se retrouver enfourchant un cheval de bois.

Par Allah et le Prophète, les histoires qu'il relata étaient salaces, poivrées à emporter tous les sens. Il vit bien que ses interlocutrices détournaient la tête ou baissaient pudiquement les yeux; mais il n'en avait cure. Toute vérité était totale, avait quatre membres comme un fils d'Adam et d'Ève, deux yeux, deux oreilles et une bouche. C'était lorsqu'on l'édulcorait qu'elle devenait inerte, muette, aveugle et sourde. Une simple vérité en matière plastique. Un de ces trucs qui passait à la télé, mais grâce à Dieu vous ne savez même pas ce que c'est, la télé! Extrapolant, brodant, imitant diverses personnalités, déclenchant les rires (et le sien propre qui était le premier à naître), il fut un conteur public mémorable en cette fin d'après-midi, un griot à l'emporte-pièce. En cours d'exercice, il apprit par bribes, et parce que ses oreilles traînaient malgré lui comme indépendantes de son corps, que cette paysanne-ci, en face de lui, qui le regardait avec des yeux aigus par-dessous un vieux chapeau de paille rongé sur le pourtour, s'appelait Lalla, qu'elle était la mère de Yasmine et de Yasmina et par conséquent sa belle-mère *illico presto;* que celle que voici, en train de s'essuyer les yeux avec le coin de son tablier et qui lui donnait des coups de coude : « Arrête! arrête! Ah! ô monsieur, assez! » était Zineb, sa tante par alliance en chair et en os; et que cette jeune fille maigrelette qui n'avait pas encore eu le loisir de rire puisqu'elle était sourde devait être sa cousine à moins qu'elle ne fût sa nièce au cinquième degré... Toute une famille aux ramifications de cèdre, souterraines aussi bien qu'à l'air libre, tirant leur sève des siècles. L'une d'elles rejoignait-elle par hasard ses origines? Frappé par cette idée subite, il leur parla de ses parents, morts et enterrés à cette heure et qu'Allah repose leurs âmes là où elles étaient! Qu'ils ne bougent surtout pas de leurs tombes profondes, cela valait beaucoup mieux pour eux. Ah! s'ils savaient!... Très exactement, il les décrivit de telle sorte qu'il les rendît vivants, s'attendant lui-même à voir son père souffler sur les braises et sa mère placer le couscoussier sur la marmite et creuser des trous dans le grain afin que s'échappât la vapeur du bouillon parfumé. C'était ce qu'elle faisait autrefois, lorsqu'il y avait un semblant de couscous...

Il avait le foie gorgé d'émotion et le gosier sec quand il se tut. Et il se tut parce qu'il n'avait plus rien à dire, hélas (ou si peu), et que le tarabustait le souvenir lointain et confus d'une certaine enquête. Il se leva, les bras ballants, plus orphelin que jamais en cette fin de XXe siècle. Lorsqu'il s'était assis pour bavarder quelques minutes avec ces femmes de son passé, elles l'avaient accueilli avec une certaine réserve. Il les quittait content d'elles et de lui-même : l'identité de vues était complète, comme disaient les communiqués officiels. Et maintenant? Où devait-il aller avec sa nostalgie et sa joie? L'une servait de béquille à l'autre, depuis des années...

Le premier roulement de tambour retentit à cet instant-là, au moment même où l'inspecteur Ali s'engageait dans le sentier qui le menait vers la grotte. Sourd, lourd et lent, il monta se répercuter contre les cimes de roc. Un autre tambour lui répondit, venant des contreforts; d'autres encore, d'entre ciel et montagne. Sans discontinuer, leurs résonances tissaient l'espace et le temps et c'était comme la voix enivrante de la solitude enfin retrouvée.

« Réveille-toi, hé! se dit l'inspecteur. C'est rien que la nouba qui se prépare pour ce soir. Hajja me l'a dit. Ne va pas t'imaginer des choses. »

Pourtant, il reconnaissait confusément ces inflexions profondes et « terriennes » pour les avoir tant aimées. Où et en quelle existence antérieure les avait-il entendues?

« N'aie pas peur, Ali. C'est rien que des tambours. Ces paysans n'en jouent pas comme dans les studios de disques modernes, etc. C'est pour ça que tu dresses l'oreille avec étonnement. Et puis, le couscous est en train de cuire. Réjouis-toi. »

Aigre, le son d'une flûte du désert se leva soudain, traversa les roulements de tambour telle une longue déchirure. Et puis il se tut, l'espace d'une naissance ou d'une mort. Quand il se fit entendre de nouveau, ce fut sans fin, de l'éternité à l'éternité et de tous les horizons, modulant les quarts de ton jusqu'au cri, les reprenant tel un râle sur une autre octave avec la même puissance. Un autre *naÿ** donna de la voix, d'autres encore, comme une meute de chiens sauvages. Cette mélopée-là, Ali croyait la connaître aussi, l'avoir déjà entendue. Un frisson parcourut son échine et, sans qu'il en eût conscience, il se mit à allonger le pas.

« C'est que des flûtes de rien du tout, s'admonesta-t-il. Des montagnards de chez nous et du Moyen Age qui chantent leur joie de vivre dans l'au-delà. T'as quand même pas la trouille d'un bout de roseau? Il est beau, non, le monde d'après la mort dont parle le Coran. Eh bien, alors?... Allah a bien dit : " *Nous rassemblerons vos os où que vous soyez; nous vous ferons revivre... Nous sommes plus proches de vous que votre veine jugulaire...* " »

Il était presque arrivé à destination. Encore une vingtaine de mètres... plus que six pas. Il allait entrer dans la caverne, avec sa décision, s'expliquer en peu de mots avec son ex-chef, lui rendre son ordre de mission, le déchirer en quatre morceaux, puis en huit, en trente-deux. Il n'en avait plus rien à foutre de cette enquête, de la police ou de l'État.

« Mais non, je ne ferai rien de tout cela. Moi, je crie parfois, c'est vrai. Je gueule, mais c'est tout. Et je rigole parce qu'il le

---

* *Naÿ* : flûte-roseau arabe.

faut bien. Je parle beaucoup, je parle trop, mais c'est tout. »

C'est ce qu'il se dit avec une sorte de désespoir tranquille. Car il savait maintenant qu'il était devenu sans identité réelle, un simple exécutant, un fétu de paille. Pris corps et âme dans le gigantesque engrenage de l'État, il était devenu incapable de faire quoi que ce fût, sinon de continuer à arrêter et à tabasser les gens. Pour survivre. Il ralentit le pas, s'arrêta.

Pourquoi, tournant la tête pour puiser un supplément d'espoir dans la splendeur du soleil couchant, pensa-t-il, juste à cet instant-là, aux aveugles? Si l'astre du jour leur était inconnu hormis sa chaleur et ce qu'ils pouvaient en imaginer (un soleil noir), ils n'avaient pas non plus la faculté de contempler le monde. Et c'était tant mieux. Oui, tant mieux!...

— L'aveugle, murmura-t-il soudain. Il y en avait un ici hier.

Il retrouva instantanément son nom : Basfao. Et, du coup, de menus détails sans importance revécurent dans sa mémoire : un âne rouge qui se traînait, devenu couleur de poussière; Hajja qui avait perdu du jour au lendemain son rire musical; ses larmes et sa peine lorsqu'il lui avait demandé l'hospitalité pour toujours; les regards qui se détournaient, les voix qui baissaient à son approche; Bourguine disant : « Coupe »; la tombe que creusait Raho, sa pioche et son regard acéré... Toute une toile d'araignée, immense, que des primitifs avaient tendue aux représentants de cette fin du XXe siècle. Tout avait un sens! Et cette mélopée sur flûte avait un sens, ces tambours résonnant du fond des âges avaient une signification terrifiante... L'inspecteur Ali fit un seul bond jusqu'à la grotte à la recherche d'une arme.

La pointe d'un couteau à manche de corne l'accueillit au niveau de la carotide et, sortie du néant, la voix de Bourguine dit :

— *Aji,* mon frère. Viens. Raho veut te voir.

Non, ce n'était pas la peine de tenter le moindre geste. C'eût été impossible d'ailleurs : les bras de l'inspecteur étaient depuis longtemps immobilisés par une demi-douzaine de montagnards. Ses jambes aussi. Non, oh non, c'était inutile de se demander ce qu'était devenu le chef. Ni même de jeter le moindre coup d'œil sur la grotte.

— *Aji,* mon frère! conclut Bourguine.

Du levant au couchant, les *naÿs* modulaient le Cantique des Morts tandis que les tambours battaient, scandaient, intercédaient, demandant de leurs voix graves le pardon de Dieu et des hommes.

10

Une pelle debout, le manche en direction du ciel. La pointe aiguë de la pioche fichée dans la tombe béante, comme si l'outil était prêt à entrer en action pour la rendre plus profonde encore. Tout autour, des gravats et des rocs. Derrière la fosse, une tente en peaux. Sur le seuil de la tente, assis sur ses talons, Raho. Les torches de résineux projetaient sur sa face des reflets de cuivre. Il dit :

— Je ne suis pas ton juge.

Et il se tut. Il dit :

— C'est le conseil qui décidera. Nous tous. Nous sommes une seule et même famille.

Des djebels à la place du village, personne n'ajouta mot. Tous attendaient, en petits groupes compacts, les Aït Yafelman, les montagnards venus de lieues à la ronde. Seuls n'avaient cessé de se faire entendre les flûtes et les tambours au premier plan sonore — et à l'arrière-plan, comme un écho. Leur tempo avait la lenteur patiente de l'obstination. Raho leva la main et ils se turent. Il dit :

— Prends la pelle et enterre ton camarade. Il est mort. Demain il fera chaud.

Résonnèrent les tambours, sourds, graves, demandant à Dieu la rémission des péchés de cet homme qui venait de mourir. Ali n'était pas garrotté. Personne ne le maintenait. Il était libre de ses mouvements, mais il savait d'instinct que le seul danger eût été de courir. Il ne jeta pas un regard de plus au tas oblong recouvert d'une bâche et d'où ne dépassait qu'une paire de bottes. Il dit, pleurant à chaudes larmes :

— Que Dieu repose son âme là où elle est!

Il se mit à bégayer :

— Vous... vous...

Il cria, tandis que les tambours baissaient de volume pour n'être plus qu'un murmure de pardon :

— Vous êtes fous! Vous vous imaginez peut-être qu'*ils* ne le sauront pas? Mais *ils* le sauront et *ils* viendront pour le venger! Ah! par Allah et le Prophète, on voit bien que vous n'êtes jamais sortis de votre trou du Moyen Age! Écoutez! Écoutez donc! Du coiffeur au gouverneur, sans oublier les garçons de café et les flics, *ils* ont fait de ce pays leur affaire personnelle! Ce connard de chef était un des leurs!

Sans élever la voix, sans même donner aux mots la moindre nuance d'un ordre, Raho dit :

— Descends ton ami dans le trou et couvre-le de pierres et de terre.

Il ajouta :

— La tombe a été creusée est-ouest. Place sa tête en direction de La Mecque. Il a été musulman dans son enfance.

Venue d'amont, une voix tomba comme un rapace :

— Ton tour viendra.

Les roulements de tambours s'estompèrent pour céder la place aux *naÿs*. Ali, frissonnant à l'écoute de cette plainte, savait qu'il devait la faire taire. Immédiatement, avant toute chose. Tant qu'un seul tambour donnait de la voix, il y avait de l'espoir. Mais maintenant, les flûtes se détachaient, souveraines, et déjà des silhouettes bougeaient, des phrases indistinctes et hachées parvenaient jusqu'à ses oreilles. Que lui avait raconté sa mère autrefois, quelles forces obscures issues des temps anciens? Au commencement du monde, disait-elle (lentement, là-bas dans l'enfance, là-haut sur le galetas, tandis que son mari enfournait le pain des autres), bien avant les religions et les civilisations et l'État, il y avait eu la vie terrienne des hommes. *« Oui, disait-elle, très autrefois, avant le temps, la terre était pour les hommes. C'était le véritable paradis. Il n'y en a jamais eu d'autre. Et le ciel, c'était l'inconnu. C'est de là que venait le danger. Le vent, les météores, la sécheresse et le déluge, les calamités. C'était ce que croyaient nos ancêtres avant qu'ils perdent la mémoire et se mettent à croire à des légendes venues du ciel. Ils affirmaient que la vie ici-bas était sans maladie, sans haine ni mort. Avant l'Histoire, il y avait l'herbe et le lait en abondance, et des champs de céréales sans nombre et tous les fruits de la terre nourricière. Et là-haut, il y avait le ciel et ses peuplades sauvages, les dieux. Ils étaient jaloux, envieux. Depuis les astres, ils lançaient la mort sur les humains. L'un d'eux, il y a très, très longtemps, avait même essayé de les charmer avec son instrument du diable, une flûte. Il avait nom Bann*, je crois. C'est ce qu'on racontait dans les temps anciens, avant de dire que c'est des rêves et des mensonges et que ce qui doit être raconté pour de bon n'existe que dans les livres. Mais ma mère m'a parlé du commencement du monde et ma grand-mère l'avait dit à ma mère — et ainsi de génération en génération en remontant le temps. Il ne faut pas qu'on perde la mémoire, il ne faut pas qu'on succombe aux légendes de nos ennemis. Parce qu'ils sont descendus parmi nous... »*

« Laisse ces sornettes, Ali », se dit-il avec peur et colère.

Tous ces souffles qui l'environnaient. Torches fumantes et mouvantes. La terre sur laquelle il allait s'écrouler tôt ou tard. Et, témoin froid, métallique, impitoyable, le ciel. La flûte lancinante qui l'acculait vers la terreur, malgré lui, malgré son âme chevillée au corps. Car elle était là, la terreur, plus présente que la vie. Non de mourir, mais de mourir pour rien.

---

* Le dieu Pan.

Sans réfléchir, d'instinct s'adressant à Raho, marchant vers lui jusqu'à ce que la tombe les séparât, il dit :

— *Bismillahi rahmani rahim!*

— Oui, approuva Raho : au nom de Dieu tout de clémence et de miséricorde. Et ensuite?

— Tu m'as promis... Mon fusil... Tu...

— Oui, dit Raho.

— Tu m'as promis de me le rendre ce soir. Tu as dit ce soir.

— Oui, dit Raho. J'ai promis.

Il prit le temps de la réflexion, tout son temps pour écouter ses os et rassembler depuis sa moelle les éléments d'une vie. Et quand il reprit la parole, tandis que baissait le chant des flûtes et que battaient les tambours en sourdine, ce fut d'une voix lointaine, comme absente.

— C'est un homme de chez nous, mon petit-fils. Il s'appelle Basfao. Il a vécu ici d'abord. Et puis, il est descendu là-bas, de l'autre côté de la montagne, dans le pays des Algériens. Il avait la vue faible, c'est vrai. Il a travaillé pendant des années dans une usine d'engrais. Je ne sais pas ce qu'il y a dans ces engrais, mais ils l'ont rendu aveugle. Alors il est remonté chez nous. C'est cet homme-là que vous étiez venus chercher avec votre automobile, votre police et vos armes. Et je sais bien que, si vous l'aviez trouvé, il serait à l'heure actuelle dans une de vos prisons. Tiens, voici ton fusil! Il est chargé, il n'y manque pas une seule balle.

Il avait ramené les bras derrière lui, saisi l'arme à deux mains. Il la projeta par-dessus sa tête. Ali l'attrapa en plein vol, ôta le chargeur, éparpilla les balles à ses pieds, jeta le fusil comme un rebut. A travers les roulements de tambour et les clameurs qui s'étaient élevées aussitôt, il put entendre les voix de l'espérance : celle de Bourguine qui se tenait à ses côtés : « *C'est un frère* »; la voix bénie de Hajja : « *Le mal n'est pas en lui, il ne sait pas ce qu'il fait mais le mal n'est pas vraiment en lui* »; d'autres encore qui admiraient son courage... Et, les estompant toutes, la voix de sa mère venant du passé et poursuivant le récit antique :

« ... *Ils ont toujours convoité la terre. A force d'être avides, ils avaient épuisé les astres. Ils avaient même brûlé la lune et le soleil. Et leur ciel était devenu vide, sans vie. Alors ils sont tombés chez nous. Ils voulaient notre paradis et nous autres pour esclaves. Oh! ils sont rusés, les dieux! Plus intelligents que nous ne le serons jamais. Leur puissance leur tient lieu de cœur et de cerveau. Ils ont apporté avec eux ce qu'ils appelaient la loi, des livres qu'ils nous ont obligés à lire : le livre des Youdis, celui des Nazaréens, le Coran des islamiques... quantité d'autres qu'ils ont prétendus saints et sacrés. Et c'est ainsi qu'ils ont changé l'ordre des choses et mis le mensonge à la place de la vérité. Ils ont même partagé la vie terrestre en deux : telle vie devait être le Bien, telle autre était le Mal. Et ainsi, nos ancêtres et leurs descendants ont commencé à lutter avec leur propre corps et à croire que le ciel était le vrai paradis et l'enfer notre mère nourricière, la terre. Quelques-uns qui refusaient de se convertir à la religion des dieux ont fui, pas beaucoup. Mais la plupart ont succombé aux sorti-lèges. Et c'est ainsi qu'ils se sont mis à travailler pour leurs maîtres comme des esclaves, et à bâtir des maisons et des villes, à construire des machines et des machines dont ils n'avaient nul besoin. Et leurs descendants continuent de plus en plus, à peiner et à espérer dans le vide. Ça n'en finira jamais. Parce que les dieux ont brouillé nos têtes, ils ont mélangé leur langage de mensonge et de magie au nôtre, ils ont effacé notre mémoire des temps anciens. Et ainsi nous nous sommes divisés, les frères contre les frères et nos propres paroles contre les mots de la tribu. Ils nous ont fait répandre le sang des animaux, puis le nôtre pour mériter l'enfer du ciel qu'ils appellent paradis. Oh! ils sont très rusés, très persua-sifs. Ils ont vendu du sable aux Touareg et ils feraient croire à n'importe quoi. Ils ont fait de telle sorte que l'homme de cette terre ne soit jamais content de son sort. Et, quand ils se sont aperçus que leurs livres étaient usés comme des figues sèches et qu'ils ne pouvaient plus rien en tirer ou presque rien, alors ils ont inventé un autre sortilège : le progrès, la civilisation. Ici ou là, dans la plaine et dans d'autres pays et jusqu'aux points les plus reculés, c'est partout la même civilisation. Mais les dieux l'ont divisée en sens contraires, avec plusieurs visages et plusieurs langues dans la bouche. Et ainsi, les descendants du peuple de la terre ont été encore plus divisés... »*

« T'es au XXe siècle, Ali. Pense pas à ces foutaises. Réveille-toi, vite, vite! C'est rien que des chimères de vieille femme, des légendes qu'elle racontait pour passer le temps. Réveille-toi en ce monde et regarde. Pense vite et agis. Adresse-toi à Raho, il est le seul qu'il te faut convaincre. Contre-le, parle-lui son propre langage. N'aie pas peur, vas-y. Il te surveille, tout le monde te... »

La peur était toujours en lui, plus vieille, plus ancienne, quand il reprit la parole :

— Je n'en savais rien. Ni qu'il travaillait chez nos frères les Algériens ni qu'on le recherchait pour quoi que ce soit. C'est le chef qui avait tout dans sa tête et maintenant il est mort. Alors comment je peux être témoin de choses que j'étais le premier à ignorer?

Il poursuivit, véhément, pirouettant sur ses talons afin de faire face aux quatre points cardinaux et à n'importe quel danger de la terre ou du ciel, mais c'était toujours à Raho que s'adressait la fin de ses phrases :

— Il y a seulement deux heures, peut-être trois, mais je n'ai pas la notion du temps malgré toutes les montres de la civilisation..., il y a juste deux ou trois tours d'horloge que j'ai appris de sa bouche de quoi il retournait à la fin des haricots! Et encore! Rien que des bribes... Ah! vous ne connaissez pas les chefs! Ils gardent tout pour eux, même les pensées secrètes.

Et celui-là était le plus avare de tous, mais il est mort à présent, que Dieu repose son âme là où elle est, qu'il ne vienne plus hanter mes jours et mes nuits! Sinon, je deviendrai fou pour de bon. Qu'est-ce que j'étais, moi, hein? Un domestique, un larbin, pas davantage. « Ali, passe-moi ma chemise, *ladin babek* sale race de ta mère... Ali, note ce que je vais te dire, écoute bien, tête de crocodile... » C'est bien simple : j'étais dans mon lit, je dormais paisiblement. Je ne connaissais même pas l'existence de ce village et de ses habitants. Je dis la vérité. Et quand j'ai su ce que le chef se proposait de faire, j'ai tout de suite arrangé la chose dans ma tête, par Allah et le Prophète! Bon, il est mort? il est mort. Par conséquent, il ne saura jamais, le pauvre, ce que je préparais derrière son dos. Il me prenait pour un vaste imbécile.

— Et qu'est-ce que tu avais arrangé dans ta tête? lança une voix forte. Raconte.

— Par Allah et le Prophète, voilà l'histoire que j'avais goupillée : rentrer avec lui en ville et embobiner les huiles de la police à force de paroles et de dossiers. J'avais plusieurs dossiers sur lui, n'est-ce pas? Je ne suis pas maboul à ce point. Je leur aurais dit : le vrai criminel, le subversif que vous cherchiez jusque dans la montagne, eh bien c'était lui, lui le chef, ça vous la coupe, hein? Maintenant, est-ce qu'ils m'auraient cru? Je n'en sais rien. Mais ce sont des choses qui arrivent fréquemment. Il faut vous dire qu'à partir d'un certain niveau de puissance, on commence à regarder les chefs d'un sale œil, des fois qu'ils prendraient tout le pouvoir pour eux. Alors on les regarde avec des yeux bigleux, l'un surveillant l'autre, vous comprenez ce que je vous dis?

La foule avait murmuré. Et maintenant elle grondait sans retenue, couvrant la voix des flûtes et des tambours.

— Il ment.

— Il raconte des bobards.

— C'est un égaré, disait Hajja. Il ne sait pas ce qu'il dit. Les mots le dépassent.

— Il nous prend pour des *boujadis*.

— Laissez-le parler, dit Raho. La nuit sera longue.

Ali agita sa langue toute la nuit, agita la raison jusqu'à la transformer en irraison pure et simple. Jusqu'à l'aube...

(... Combien reste-t-il de l'ancien peuple? Nous, ici, dans les villes, ton père, moi, les membres de la famille, nous ne pouvons que déguiser notre âme en attendant l'espoir, il ne faut pas qu'ils sachent que nous leur sommes opposés. Depuis des siècles, ceux qui comme nous n'ont pas eu la chance de fuir ont fait mine d'adopter leurs coutumes et leurs lois. Et de les aimer. Et ainsi les dieux et leurs serviteurs nous ont laissés à peu près en paix. Appauvris, démunis des biens de notre terre, mais en paix. Ils ne savent pas ce qui demeure en nous. S'ils s'en apercevaient, ils nous mettraient à mort — ou, pis encore, ils tueraient notre âme, comme ils l'ont déjà fait de nos aïeux. Alors nous faisons les idiots, nous nous comportons en sauvages, en êtres incultes et inférieurs pour les rassurer. C'est ce que nous avons de mieux à faire si nous voulons survivre. Certains d'entre nous arrivent avec le temps à oublier qui ils étaient. Ils sont contents de ce qu'ils sont devenus, c'est la vie... Mais des terriens, des vrais d'autrefois, combien reste-t-il? Plus beaucoup, je crois bien. De petits groupes sur la montagne ou dans le désert, d'autres dans des forêts impénétrables. Ils n'ont jamais cessé de fuir à mesure qu'avançaient les conquérants et leurs légions de serviteurs. C'est ce que m'a raconté ma mère qui le tenait de sa mère, et ainsi de suite de génération en génération en remontant les siècles. Il paraît qu'il y en a encore, malgré les dieux et leurs innombrables serviteurs devenus pires que leurs maîtres. Ils se réunissent à la pleine lune et font revivre les temps anciens en battant de leurs tambours ou de leurs tam-tams. L'un d'eux joue de la flûte, afin de leur rappeler la mort qui

*les guette constamment, pour qu'ils restent aux aguets. Mais
ce sont toujours les tambours qui gagnent. Jusqu'à présent...
jusqu'à présent... Parce qu'un jour, ils mourront . ils n'auront
plus de quoi subsister. Alors... alors les peuplades sauvages
épuiseront la terre aussi, la détruiront comme ils l'ont fait
des astres, très autrefois, avant le temps...)*

...Jusqu'à l'aube, il dit tout, fit tout, fut tout, avec une totale
sincérité. Le plus dur avait été d'entrer dans la tête de Raho
et de lui faire admettre que non, il n'avait pas trahi la loi
de l'hospitalité; que si les apparences étaient contre lui et
avaient force de loi tribale, eh bien! dans ce cas il était prêt
à mourir sans plus tarder et une fois pour toutes. Le fusil
était là, il n'y avait qu'à ramasser les balles et l'armer. Ou le
couteau à manche de corne qui avait fait ses preuves en
Algérie et qui venait de trucider le chef de sa belle mort, ou cette
pioche qui ne faisait rien dans la tombe, n'importe quel instrument contondant ou tranchant. Il fabriqua des mots et des
expressions qu'il ne comprit pas lui-même, jamais.

Raho était obstinément simple, lent et patient : pour lui,
un fils d'Ève et d'Adam qui avait demandé l'hospitalité de Dieu
s'engageait sur son âme à se comporter avec honneur. Il n'en
démordait pas.

— L'honneur? s'écria Ali. Où y a-t-il place pour l'honneur
dans l'organisation de la société d'aujourd'hui? Même dans
les pays des chrétiens et chez les *Lamirikanes*? Écoutez voir...

Tenace, il leur expliqua que lui, semblant d'Arabe et reste
de Musulman habitant dans la ville, il était devenu un chien
au fil des années, dans la plupart des domaines : son boulot,
ses relations, la bouffe même... Un chien ignorait le sens de
l'honneur, forcément. Mais, après une seule journée et une
seule nuit passées dans ce village parmi les Aït Yafelman,
il avait réalisé la vanité, la stupidité de son existence passée.
Il avait décidé de tout abandonner pour vivre avec ses frères
de la montagne, hein, Hajja?... Et Hajja apporta son témoi-

211

gnage émouvant, mot pour mot, ce qu'Ali lui avait dit et ce qu'elle lui avait répondu, ajoutant qu'il n'était qu'un pauvre orphelin abandonné de Dieu et des hommes et qui se croyait intelligent, mais qu'elle lui pardonnait et lui faisait confiance malgré tout. L'écoutant avec vénération, il en avait les larmes aux yeux et une colère noire dirigée contre lui-même. Il embrassa les mains de la vieille femme, se dirigea vers un joueur de tambour, fit résonner l'instrument à la cadence rituelle.

· Je suis comme vous, conclut-il. Un pauvre hère égaré dans la civilisation et dans la flicaille de la civilisation.

Raho l'avait écouté attentivement. Il dit avec la voix du destin :

— Avant l'aube, si le conseil en décide ainsi, il n'y aura plus trace de toi ni de ton camarade, ni de vos bagages, ni de votre automobile. Rien.

Ici, Ali entra en mouvement pour de bon. Il lui démontra, il alla démontrer de groupe en groupe avec des palabres interminables, sautillant, véloce, omniprésent, que ce serait la plus grande erreur de leur vie : parce qu'il y avait le fichier au Central. Bon! d'accord! qu'on démonte cette vieille chignole en pièces détachées et qu'on les vende jusqu'au Soudan, ce serait une agréable solution! Qu'on enterre leurs cadavres, à lui et au chef Mohammed, dans un trou d'enfer, d'accord! Oh! d'accord, bon Dieu! Mais comment supprimeraient-ils les papiers du Central, là-bas, dans la capitale des flics et du gouvernement? Les paperasses, les ordres de mission avaient la vie dure...

— Faites ce que vous voulez, les gars du conseil. Ah! bien oui! Libre à vous et selon votre sagesse de sages de ce village et des alentours! Et dans trois jours, dans une semaine au maximum, ce ne sont pas deux jobards comme nous à qui vous aurez affaire... parce qu'il faut le dire, j'ai le courage de vous le dire : enfermé dans sa chefferie, le chef avait bien cru que vous n'étiez que des ploucs avec des cervelles de mouton, des rien du tout qu'il mènerait par le bout du nez rien qu'en se montrant dans son uniforme. C'est pour ça qu'il est mort, le con! que Dieu repose son âme là où elle est, parmi les millions et les millions de cons qui ont dirigé cette terre! Ah! bien non! Par Allah et le Prophète, le gouvernement est fichu de vous envoyer des automitrailleuses et des bombardiers... Faites ce que vous voulez. Moi, j'abandonne.

Il illustra le cataclysme des mitrailleuses et des bombes, mima les pans de murs qui s'écroulaient, la montagne qui sautait comme un gigantesque volcan. Et puis il s'assit. Il n'avait pas l'esprit tout à fait libre pour envisager l'avenir, même à très court terme. Peut-être rêva-t-il à ce qui aurait pu être : deux houris du paradis à ses côtés, soir et matin et surtout la nuit jusqu'à la fin des temps, toujours aussi belles, sans vieillesse. Comment s'appelaient-elles déjà?... Sa mère avait l'imagination bien féconde, qui lui avait raconté des légendes à dormir debout, avec tant de conviction! Pour un peu, il avait failli y croire, lui, l'ancien loubard, le solitaire de toujours constamment en lutte contre la vie. Sa tête avait chaviré, c'était là l'explication. Il finit par s'assoupir...

On le secoua, on le remit sur ses pieds, on le conduisit jusqu'à la tente. Les tambours s'étaient tus, les flûtes également. Seuls, une vingtaine d'hommes étaient demeurés, avec des torches. Ils l'entouraient comme un bloc. Ils parlaient à tour de rôle, ne lui laissaient aucun répit. Comment allait-il faire pour supprimer les papiers du gouvernement? Quelle solution proposait-il? Non, ça n'allait pas : le cadavre de son camarade devait être enterré sur place, c'était la coutume. Ali lutta mot pour mot avec eux, argument contre argument, avec chacun d'eux face à face et tous ensemble par moments, parce qu'ils s'étaient mis à parler en même temps et qu'il fallait contrer, rétablir chacune de leurs paroles. Lui, si humoriste dans la vie, si fantaisiste dans son langage quotidien (et dans sa tête), il sut être ce qu'on attendait de lui : un être grave, sensé, efficace. Un vrai chef.

Il leur expliqua, il leur détailla par le menu et sur tous les registres suivant le degré de compréhension de chacun de ses interlocuteurs, que, non, ce n'était pas ça du tout, qu'il fallait au contraire placer la dépouille mortelle dans l'automobile sur la banquette arrière... Non, il ne savait pas si le type avait de la famille ou des amis, mais ce n'était pas là la question. Mort ou vivant, cet homme devait être rendu à sa vraie famille : la police. L'État, si vous voulez... La police avait tout remplacé, même son âme. C'était évident, aussi sûrement que quatre et trois... Comment il allait éteindre l'incendie et rétablir la situation de telle sorte que pas une flèche ne tombe sur le village, les bombes encore moins? Il avait un papier, un ordre de mission, regardez. Bon, vous ne savez pas lire, je vais le faire, écoutez. Voilà l'histoire : *primo*, les huiles avaient toujours raison; ils avaient vu juste; il y avait bien un subversif, un dangereux criminel dans ce village paisible et sans histoire. (Vous en faites pas, je lui trouverai bien un nom, un signalement précis et des renseignements complémentaires, pour étoffer le dossier sur des pages et des pages, ils aiment ça...) *Secundo :* le chef Mohammed était sur le point de le cravater quand il y a eu une grande bataille. Mon regretté chef et ami est mort de plusieurs coups de couteau (un seul, tu dis?), et le salopard s'est sauvé en Algérie. Vous avez bien essayé de lui donner la chasse, tous tant que vous êtes et moi aussi. Qu'ils s'arrangent entre eux, qu'ils créent au besoin un incident diplomatique!... Mais il fallait des preuves. Des preuves écrites.

A l'aube, Ali avait rédigé un long procès-verbal. Raho et le long jeune homme à lunettes savaient signer et ils signèrent péniblement. Trois ou quatre dessinèrent une étoile. Les autres membres de la famille Aït Yafelman se contentèrent d'apposer l'empreinte de leur pouce.

Le bruit du moteur disparaissait à l'horizon — et montait le soleil d'un nouveau jour. Raho et Hajja étaient assis face à face, seuls sur la montagne.

— Tu ne l'as pas cru, n'est-ce pas? demanda Hajja.

— Non.

— Mais tu lui as laissé la vie sauve?

— Son heure n'est pas encore venue.

Il garda longtemps le silence, yeux baignés de lumière. Puis il dit :

— Ils savent maintenant où nous sommes. Je voudrais méditer un peu.

Hajja l'embrassa sur le front et se leva. En toute circonstance, toujours elle lui avait fait confiance.

11

Le chef de police Ali arriva au village par une aube de septembre. Entre les hauts plateaux et les contreforts de l'Atlas, le ciel était une débauche d'émeraude, de turquoise et de rubis, où tournoyait un hélicoptère rugissant.

Le chef était à bord d'une Land-Rover munie d'un poste émetteur. Il était en mission officielle et il la menait ouvertement. Au-dessus de lui, il y avait une pyramide de chefs qui lui étaient inconnus pour la plupart, de vue ou même de nom. Et les ordres étaient les ordres. Du haut en bas de l'échelle hiérarchique, ils descendaient jusqu'à lui, sous forme de notes impersonnelles griffonnées au crayon rouge et suivies d'une signature illisible. Mais le chef Ali n'obéissait qu'à ceux qui étaient revêtus du cachet officiel, avec l'aigle impériale. Il était loin d'être un irresponsable ou un idiot.

Il arrêta la voiture sur la petite place caillouteuse du village, coupa le contact, poussa un soupir, alluma un cigare et donna un vigoureux coup de coude à son compagnon de voyage, l'inspecteur Smaïl, dont la tête reposait tranquillement sur le tableau de bord.

— Réveille-toi, rugit-il.

L'inspecteur Smaïl se redressa, bâilla, puis tourna vers le chef deux yeux qui semblaient pleins de sable.

— Je ne dormais pas, chef, dit-il. Je réfléchissais.

— Ah? fit le chef. Tu réfléchissais? Eh bien, inspecteur Smaïl, on ne t'en demande pas tant! Et puis, ce n'est pas le moment. Ouvre la portière, descends, et arme les mitraillettes.

Jusqu'au soir tombant, ils explorèrent le village, grotte par grotte, et des lieues à la ronde. Il était vide. Pas une âme.

18 février 1981.

Le Passé simple
Denoël, 1954
et Gallimard, « Folio », n° 1728

Les Boucs
Denoël, 1955
et Gallimard, « Folio », n° 2072

L'Âne
Denoël, 1956

La Foule
Denoël, 1961

Succession ouverte
Denoël, 1962
et Gallimard, « Folio », n° 1136

Un ami viendra vous voir
Denoël, 1966

De tous les horizons
Denoël, 1968

La Civilisation, ma mère!
Denoël, 1971
« Médianes », 1983
Gallimard, « Folio », n° 1902
et « Folioplus classique », 2009

Mort au Canada
Denoël, 1975

La Mère du printemps
Seuil, 1982
et « Points », n° P163

D'autres voix
Soden, 1986

Naissance à l'aube
Seuil, 1986
et « Points », n° P655

L'Inspecteur Ali
Denoël, 1991
et Gallimard, « Folio », n° 2518

Aït Imi, Le Maroc des hauteurs
(en collaboration avec Michel Teuler)
Eddif, 1991

Les Aventures de l'âne Khâl
Seuil, « Petit Point », n° 47, 1992

Une place au soleil
Denoël, 1993

L'Homme du livre
Balland, 1995
et Denoël, 2011

L'Inspecteur Ali à Trinity College
Denoël, 1996

L'Inspecteur Ali et la CIA
Denoël, 1997

Vu, lu, entendu
Mémoires vol. 1
Denoël, 1998
et Gallimard, « Folio », n°,3478

Vu, lu, entendu
Mémoires vol. 2
Le Monde à côté
Denoël, 2001
et Gallimard, « Folio », n°,3836

L'homme qui venait du passé
Denoël, 2004
et Gallimard, «Folio», n° 4341

Une vie sans concessions
(en collaboration avec Abdeslam Kadiri)
Zellige, 2009

IMPRESSION : CPI BRODARD ET TAUPIN À LA FLÈCHE
DÉPÔT LÉGAL : JUIN 1999. N° 37433-7 (61965)
IMPRIMÉ EN FRANCE